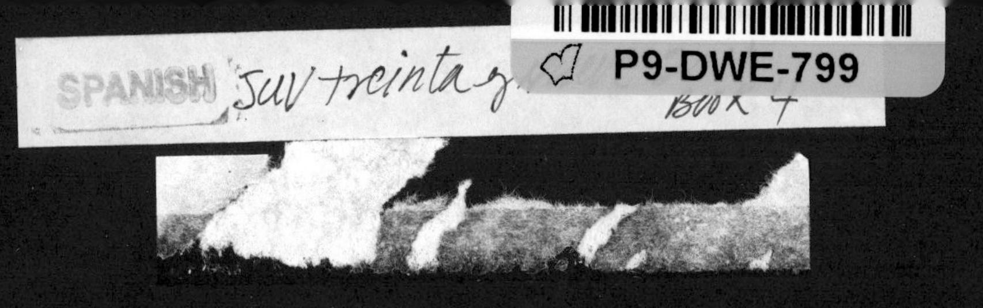

El aire parecía susurrar
que el pasado estaba muy presente...

MÁS ALLÁ DE LA TUMBA

JUDE WATSON

DESTINO INFANTIL Y JUVENIL, 2011
infoinfantilyjuvenil@planeta.es
www.planetadelibrosinfantilyjuvenil.com
Editado por Editorial Planeta, S. A.

Título original: *Beyond The Grave*

Avda. Diagonal, 662-664, 08034 Barcelona
Primera edición: septiembre de 2011
ISBN: 978-84-08-10217-5
Depósito legal: M. 25.538-2011
Impreso por Huertas Industrias Gráficas, S.A.

Impreso en España - Printed in Spain

El papel utilizado para la impresión de este libro es cien por cien libre de cloro y está calificado como papel ecológico.

A Cleo, quien me acompaña en mis aventuras.

Éste es para ti.

J. W.

CAPÍTULO 1

Si Amy Cahill tuviera que enumerar todos los defectos de los hermanos de once años, el *number one* de la lista sería la costumbre de desaparecer. O quizá lo fuese el simple hecho de existir. Luego pondría lo de eructar el alfabeto desde la *a* hasta la *z*.

La joven se encontraba en medio del mercado Khan-el-Khalili de El Cairo. Giraba desesperadamente la cabeza de un lado a otro buscando a su hermano, Dan. Estaba medio adormilada debido al desfase horario, y esto interfería notablemente en el normal funcionamiento de su cerebro. Hacía un minuto, Dan estaba allí mismo, a su lado, pero ella cometió el gran error de volverse tan sólo dos segundos para comprar un lápiz de Nefertiti, y cuando se dio la vuelta de nuevo, el chico ya había desaparecido.

El ambiente estaba cargado, ya que hacía mucho calor, la música sonaba muy alta y los gritos de los vendedores del mercado atravesaban el aire. Las señales luminosas ondeaban por encima de ellos. Los turistas llenaban las calles, llevaban las mochilas hacia adelante para protegerlas de los carteristas y, cada pocos minutos, sacaban una fotografía. Una mujer con un pañuelo en la cabeza esquivaba una fila de sillas de color turquesa para seguir de cerca a sus dos hijos. Un hombre que llevaba una cesta llena de naranjas trataba de equilibrarla sobre su cabeza sujetándola con una mano. Una turista con gorra y una camiseta donde ponía «Mi momia me mima» se cruzó con Amy, sosteniendo la cámara delante de la cara de la muchacha.

Ella sintió que el calor le atravesaba la piel. Esperaba no desmayarse. Los colores se arremolinaban a su alrededor, los rostros se disolvían y los ruidos desconocidos golpeaban sus oídos. Nunca le habían gustado las aglomeraciones, y El Cairo podría ser la ciudad que las inventó.

Se dio la vuelta, sujetando su riñonera con las manos. Buscaba a Nella Rossi, su niñera, que estaba unos metros más allá regateando el precio de unas especias. A Amy sólo le dio tiempo de ver su pelo de refilón, que era moreno por un lado y rubio por el otro.

Una hora antes estaban en el taxi, camino de El Cairo desde el aeropuerto. Fue entonces cuando el conductor señaló algo por la ventana y les dijo:

—El mercado Khan, que empieza aquí, es un lugar muy interesante.

Y Nella respondió de repente:

—¡Pare!

Antes de que pudieran darse cuenta de lo que estaba sucediendo, ya se encontraban en medio del mercado con el equipaje y el transportín del gato en las manos. *Saladin* maulló furiosamente cuando Nella les prometió:

—Serán sólo diez minutos. Es todo lo que necesito. Después nos iremos directamente al hotel... ¡Genial! ¡Vainas de cardamomo!

Para Nella, cada ciudad significaba una nueva oportunidad de acceder a comidas raras.

Finalmente, Amy encontró a Dan entre la multitud. Estaba contra el escaparate de una tienda atestada de *souvenirs*. Tenía el presentimiento de que el sacapuntas de Tutankamon lo había cautivado, aunque también podría haber sido la linterna en forma de momia.

Mientras ella cruzaba la calle, Dan seguía apareciendo y desapareciendo entre la serpenteante muchedumbre. El ardiente sol era cegador, así que la joven tenía esperanzas de que el aire acondicionado estuviese presente en su futuro próximo.

La turista de la camiseta donde ponía «Mi momia me mima» se acercó a Dan y se bajó sus blancas gafas de sol hasta la punta de la nariz. Una pequeña alarma sonó en el interior de Amy. Un hombre con un sombrero de paja le bloqueó la vista, así que ella se echó a un lado para ver desde otro ángulo.

La turista dobló su dedo índice por la primera articulación, como si tuviera un calambre y el tórrido sol iluminó algo que salía de debajo de su uña.

—¡Dan! —gritó Amy, pero la música y los gritos de los vendedores ahogaron su voz. Se acercó rápidamente a él, cruzándose con un hombre que llevaba una red con varios balones de fútbol de colores fosforitos.

La aguja hipodérmica salió del dedo garra de la turista. Dan se aproximó más hacia el escaparate y...

—¡Dan! —volvió a gritar ella... en su cabeza, pues en realidad lo que se oyó fue un ruido extraño, como el croar de una rana.

Amy se lanzó hacia adelante y, en el último segundo, empujó la mano de la atacante. La aguja se clavó en el lápiz de Nefertiti y se atoró.

Durante un veloz segundo, Amy tuvo la oportunidad de ver

de cerca el brillo del sol en el metal. A cámara lenta, una gota de algo letal cayó de la punta de la aguja al suelo.

Amy vio la cara de Irina, antigua agente de la KGB. Una ex espía que, casualmente, era su prima.

La mujer tenía un tic en un ojo.

¡Blin!

Torció la mano, pero la aguja seguía clavada en el lápiz.

El vendedor se le acercó corriendo.

—Bella señora, parece que el lápiz la ha escogido. Mire, ¡aquí tengo más lápices para usted!

Irina lo miró ferozmente.

—¡No quiero sus estúpidos lápices, vendedor de poca monta!

Amy y Dan no se lo pensaron dos veces. El muchacho echó a correr como un centrocampista entre la multitud y Amy lo siguió ciegamente.

Con la sangre recorriéndoles las piernas, galoparon hasta reventar, deslizándose entre el laberinto de callejones retorcidos. Finalmente, se detuvieron y, doblados por la cintura, trataron de recuperar el aliento. Cuando se incorporaron, Amy se dio cuenta de que estaban perdidos. Estúpida e irremediablemente perdidos.

—Nella debe de estar buscándonos —dijo la joven abriendo su teléfono—. No tengo cobertura. Tendremos que apañárnoslas para volver.

—Espero que no nos encontremos con nuestra camarada Irina —respondió Dan—. La verdad es que no estoy para reuniones familiares.

Después de todo lo que habían visto, ya estaban acostumbrados a conocer a nuevos miembros de la familia con problemas mentales. Tan sólo unas semanas antes, habían tenido que pasar el mal trago de asumir la muerte de su abuela. Desde que sus padres murieron, Grace había sido la persona más importante en sus vidas. A pesar de que no vivieran con ella, solían pasar los fines de semana en su mansión, a las afueras de Boston, y siempre los llevaba de excursión, tanto durante el año académico como en las vacaciones. La muerte de Grace, por culpa de un cáncer, les había afectado hasta la médula, aunque ése había sido tan sólo uno de los muchos sustos que se iban a llevar.

Grace había invitado a las cuatro ramas de la familia Cahill a la lectura de su testamento. Había grabado un vídeo, que se mostró ese día, en el que les ofrecía dos opciones: aceptar un millón de dólares y marcharse, o enrolarse en la búsqueda de las treinta y nueve pistas y convertirse en la persona más poderosa del mundo. Aunque la opción del millón de dólares sonaba mucho mejor que la otra, Amy y Dan no se lo pensaron dos veces. Sabían que Grace habría querido que aceptasen el reto, pues para ella no existían los caminos fáciles.

Tomar la decisión había sido sencillo. Lo difícil era seguir el ritmo de la competición. Amy solía pensar que el lema «jugar para ganar» se refería a situaciones como cuando Courtney Catowski, la capitana del equipo de voleibol, golpeaba el balón en picado, justo encima de su cabeza. Ahora ya sabía qué era una competición de verdad. No había nada ni nadie que parase a Irina. Si era necesario, los drogaría, los raptaría o incluso los mataría.

Habían empezado a caminar. Amy sintió que se movían en círculos. Como en un sueño, en el que corres y corres y no llegas a ningún sitio. El día anterior había estado en Seúl, Corea, y antes de eso, en Tokio, en Venecia, en Viena y Salzburgo, Austria, en París y en Filadelfia. Hasta había hecho una escala en un aeropuerto privado de Rusia.

Nunca había tenido tantos secretos en su vida.

Nunca había imaginado que podría tener tanto miedo.

Nunca había imaginado que podía ser tan valiente.

Tan sólo unos días antes, en Seúl, casi los entierran vivos y los dejan morir. ¿Y quiénes eran los responsables? Personas en las que ella había confiado: Natalie e Ian Kabra... Pero a Amy no le apetecía pensar más en él. No quería recordar cómo le había sujetado la mano, diciéndole que juntos podrían formar una gran alianza. Esa unión duró apenas un par de horas, hasta que él encontró una oportunidad para dejarla morir.

No... quería... pensar... en... Ian.

Después descubrieron que el único pariente en el que casi habían confiado, el tío Alistair Oh, también los había engañado. Se había hecho el muerto cuando realmente estaba vivito y coleando.

El motivo que les había hecho cruzar el espacio aéreo internacional hasta El Cairo era tan sólo un simple indicio. Pero estaban acostumbrados a agarrarse a los indicios y a exprimirlos todo lo que pudiesen. La forma de una pirámide y una palabra: Sakhet. Se trataba de una diosa egipcia con cabeza de león. Amy había comprado varios libros antes de marcharse de Corea y había estado investigando sobre ella, pero aún no sabía por qué habían ido a parar allí... o qué buscaban exactamente.

Amy sintió los regueros de sudor escurriéndose por debajo de su camiseta. La temperatura era de casi 35°. El pelo se le pegaba a la nuca. Pensó en Ian y en cómo se las arreglaba para estar siempre perfecto, independientemente de las circunstancias.

No... quería... pensar... en... Ian.

El ruido presionaba sus oídos; se trataba de un torbellino

exótico y cacofónico de bocinas, vendedores voceando, teléfonos sonando y alguien que gritaba por encima de todo lo demás:

—¡Eh, baja de las nubes!

Ah... esa voz no era exótica. Era Dan.

—¡Espía rusa justo enfrente y aproximándose por el lateral! —susurró él.

Irina aún no los había visto. Estaba demasiado ocupada buscándolos. Avanzaba por el otro lado de la calle, espiando dentro de las tiendas.

Amy tiró de Dan y se metieron en una cafetería. Varios hombres estaban sentados a las mesas bebiendo té, conversando en voz baja o leyendo el periódico. Los turistas bebían vasos de zumo y leían sus guías de viaje. Cuando Amy intentó colarse, su abultada mochila chocó contra un hombre corpulento que disfrutaba de un vaso de té de menta. El té se derramó en su traje blanco.

Todas las miradas de la cafetería apuntaron hacia Amy. El tac-tac de una partida de *backgammon* se detuvo. Sintió cómo se sonrojaba. Odiaba ser el centro de atención, pero lo odiaba aún más cuando lo era porque había cometido alguna torpeza.

—Lo... lo... lo siento —tartamudeó ella. Su tartamudez se manifestaba siempre que estaba nerviosa, y ella lo detestaba. Trató de limpiar el desorden.

—No hay problema, muchacha, no te preocupes. —El hombre sonrió amablemente y llamó al camarero—. No es más que té.

En las paredes, enormes espejos antiguos reflejaban la escena. Amy vio su propia cara colorada, sus manos temblorosas, los ojos de los clientes... y la puerta abriéndose. Ni siquiera el atuendo de turista ni las gafas de plástico blancas podían disfrazar los andares de soldado de Irina, como si estuviese inspeccionando a todo el mundo en una búsqueda de defectos.

Y en tres segundos exactamente, su mirada caería sobre ellos.

CAPÍTULO 2

El robusto hombre se levantó, escondiéndolos tras él por un instante. Dan aprovechó la oportunidad, agarró a su hermana del brazo y se ocultaron detrás de una gruesa cortina.

Fueron a parar a un corto pasillo que llevaba hasta una puerta lateral, que decidieron atravesar. La puerta daba a un callejón minúsculo que serpenteaba entre las tiendas. Sabían que Irina aparecería por allí en cuestión de segundos. Pasaron por delante de un carro lleno de cajas y asustaron a un hombre que dormía al sol. Vieron que una de las tiendas tenía la puerta trasera abierta, así que entraron corriendo y encontraron un almacén. Estaba oscuro y polvoriento, y Dan empezó a respirar con dificultad.

—Usa el inhalador —sugirió Amy.

—Está... en... la maleta... de Nella —consiguió decir Dan. Odiaba esa sensación, como si alguien le estuviese estrujando los pulmones. Siempre le pasaba en los peores momentos.

—Buen sitio para guardarlo. Vamos.

Amy guió rápidamente a su hermano hasta la tienda, que estaba iluminada y aireada, y llena de trajes de danza del vientre que colgaban del techo.

—¡Bienvenido! ¿Estás buscando un lindo vestido? ¡Te haré una oferta!

—¡Ese color no me sienta bien! Gracias igualmente —respondió Dan saliendo del comercio.

Se metieron por un par de calles tortuosas. Finalmente, Amy solicitó un descanso.

—La hemos despistado.

—Por ahora —respondió Dan, agarrándola del brazo—. Mira, Amy.

Unos metros más abajo, vieron una señal: S A K H E T

En un escaparate con cortinas rojas que recordaban a las de un teatro, se exhibía una única estatua. Era de piedra azul. Tenía una cabeza de león y se erguía en pie orgullosa.

Amy y Dan se miraron el uno al otro. Sin mencionar ni una palabra, entraron en la tienda y caminaron derechos hacia la estatua. Era realmente antigua. La superficie estaba gastada y a la cabeza del león le faltaba una oreja.

El dependiente se aproximó rápidamente. Era un hombre delgado e impaciente. Llevaba unos pantalones negros y una camisa blanca.

—¿Estáis interesados? Es preciosa. Totalmente auténtica, no es ninguna réplica. Fue propiedad de Napoleón —explicó el hombre—. Tenéis muy buen ojo.

—¿Napoleón? ¿No es eso un tipo de pasta italiana? —preguntó Dan—. Esa que es empalagosa por dentro.

Amy puso los ojos en blanco.

—Tu cerebro sí que es empalagoso. Napoleón fue un emperador francés. ¿No te acuerdas de que conquistó el mundo? Vimos un cuadro de él en la fortaleza Lucian, en París. Es un Cahill. Uno de nuestros antepasados.

La rama Lucian de la familia Cahill tenía un sentido de la

estrategia increíble. Por supuesto, sus poderes se habían reducido hasta convertirse en las trampas asquerosas de Ian y de Natalie, y de la rusa loca, Irina Spasky.

—Si él escogió esta Sakhet, será porque es importante —dijo Dan.

—No puede ser tan fácil —respondió Amy.

—¿Por qué no? Todo lo demás ha sido ya muy difícil —argumentó Dan.

El dependiente levantó la voz, tratando de atraer la atención de los jóvenes nuevamente.

—Veo que estáis fascinados. Pues sí, Napoleón poseía muchos tesoros. Algunos de ellos regresaron a Francia, pero otros muchos se quedaron aquí.

Puso su mano sobre la estatua y la acarició.

—¿Están vuestros padres con vosotros? Os daré un buen precio. Mi bazar es el mejor en todo El Cairo.

—No, gracias —respondió Dan. En Boston, él era coleccionista, así que sabía que la mejor forma de conseguir una ganga es fingiendo que no se está interesado—. Vámonos, Amy, sigamos buscando. Además, ¿qué hace en Egipto un objeto que perteneció a Napoleón?

—Napoleón invadió Egipto en 1798 —respondió Amy.

—Ah, la muchacha sabe de historia. Estaría orgullosísimo si esta preciosidad acabase en sus manos. Toma —dijo el dependiente, entregándole la estatua.

Le pareció extraño tocar algo tan antiguo. Algo que Napoleón había tocado. Muchas veces sentía una ola de entusiasmo con la idea de que su propio ADN estuviese encadenado eslabón tras eslabón hasta llegar directamente a un grupo de personas extraordinarias. ¡Napoleón!

—Sólo dos mil —respondió él.

Amy saltó sorprendida.

—¿Dos mil dólares?

—Por ser tú, lo dejaré en mil quinientos. Esta tarde recibo una visita del Museo de El Cairo porque están muy interesados en esta pieza. Llegará a las cuatro.

—Lo dudo, Abdul.

Amy se volvió. Se había dado cuenta de que en el otro lado de la tienda había un hombre alto y rubio, pero no se había percatado de que se había acercado a ellos. Debía de tener veintitantos años. Llevaba una camiseta, unos pantalones color caqui y unas chanclas. Sus ojos verdes contrastaban con su bronceado.

—A menos que esté buscando una baratija para colocar en el llavero —dijo él con acento británico.

Recogió la Sakhet de las manos de Amy.

—En mi opinión esta pieza es de... ¿2007, más o menos?

—En serio, Theo, te estás confundiendo —respondió el vendedor, sonriendo inquieto—. Esto es auténtico. Te lo garantizo.

—Dejemos las garantías aparte. Me parece que estás tratando de engañar a estos dos jóvenes con el viejo truco de la antigüedad falsa —anunció el hombre llamado Theo.

—Según él, esta estatua perteneció a Napoleón —explicó Dan.

—Tal vez —respondió Theo—, el Joe Napoleón de la otra calle tiene un restaurante italiano estupendo.

—Ya te decía yo que Napoleón era italiano —le dijo Dan a Amy con desdén.

—En realidad, nació en Córcega —corrigió Theo—. Chicos, ¿os gustaría ver el resto de la tienda?

—No hace falta —respondió Abdul rápidamente—. Me parece que no tengo lo que buscáis. Tal vez lo encontréis en el comercio de al lado. Es la hora del descanso, así que...

Theo pasó velozmente por delante de él y abrió una pesada cortina. Sentados a una larga mesa, había varios trabajadores encorvados. Amy se puso de puntillas para ver por encima del dueño de la tienda, que estaba tratando de bloquearle la vista. Los trabajadores frotaban cepillos metálicos y papel de lija contra varias estatuas similares a la de Sakhet. De esta manera, conseguían que pareciesen viejas.

Abdul se encogió de hombros.

—¿Qué le voy a hacer? ¡Hay que ganarse la vida!

—No hay pena sin delito.

Entonces Dan sujetó a Amy del brazo. Irina estaba espiando por el escaparate, cubriéndose los ojos con las manos.

Theo los notó alarmados.

—¿Quién es ésa? ¿Vuestra madre?

—No, está en nuestro grupo en las visitas guiadas. Es una pesada —explicó Amy.

—Nos persigue a todas partes —añadió Dan—. ¿Hay alguna otra forma de salir de aquí?

—Si hay algo que debéis saber sobre mí —dijo Theo—, es que yo siempre sé dónde está la puerta de atrás.

La campana de la puerta delantera sonó justo cuando ellos atravesaron la cortina y se escaparon.

Esta vez sería más fácil, ya que sólo tenían que seguir a Theo. Él se movía rápida y ágilmente por el laberinto de callejuelas estrechas. Finalmente, se detuvieron para descansar delante de los arcos que marcaban la entrada al mercado.

—Creo que ya estáis a salvo —anunció Theo—. ¿Queréis que pare un taxi para que os lleve al hotel?

—Hemos perdido a nuestra niñera —respondió Dan—. Será mejor que la encontremos. Eh... ¿dónde estamos?

—Empecemos por el principio. ¿Dónde estabais cuando os separasteis?

Amy frunció el ceño.

—Por donde están las especias.

—Bien. Eso nos facilita las cosas. ¿Recordáis algo más?

Dan cerró los ojos.

—Un cartel amarillo con unas letras árabes en marrón. Tres filas de cestas con especias y cubos verdes llenos de frutos secos. El vendedor tenía un bigote y un lunar en su mejilla izquierda. La tienda de al lado era una frutería. Había un tipo delgado con un gorro rojo que gritaba: «¡Granadas!».

Theo levantó una ceja y miró a Amy.

—¿Es siempre así?

—Constantemente.

De nuevo, comenzaron a seguir a Theo por el mercado, con los ojos bien abiertos por si veían a Irina.

—¿Vives aquí? —le preguntó Amy mientras se abrían paso entre la multitud.

—Fui a la universidad en Inglaterra, pero después regresé y nunca más volví a marcharme.

—Te manejas muy bien por aquí —respondió Amy.

—Era guía turístico —explicó Theo. El muchacho le dedicó una sonrisa y, de repente, Amy se dio cuenta de lo guapísimo que era.

Nella estaba que echaba chispas. Los esperaba frente a la tienda donde la habían dejado. Una bolsa llena de paquetes le colgaba del brazo y, a sus pies, había una pila de mochilas: primero estaba la de Dan, luego la suya y, finalmente, el bolsón que habían cogido en casa de Alistair. *Saladin*, el gato, maullaba afligido en su transportín. La niñera avanzó hacia ellos furiosa.

—¿Dónde os habíais metido? ¡He llegado a pensar que os habían raptado! —De repente, reparó en Theo y dejó de hablar. Lo miró de arriba abajo, desde su pelo rubio hasta sus bronceados pies.

»Vaya, vaya... ¡Hola, Indiana Jones! —susurró ella con la misma voz que ponía *Saladin* cuando veía un buen filete de atún en su plato.

Desde que se separaron, la niñera había estado de compras. Encima de su camiseta, llevaba un suave pañuelo violeta que se había colocado alrededor de su cuerpo a modo de túnica. Se había puesto lápiz de ojos negro y una sombra dorada en las pestañas. Varias pulseras de abalorios cubrían su brazo de la muñeca al codo. Parecía que estaba a punto de huir a un harem de hip-hop.

—Vaya, vaya... ¡Hola, Mary Poppins! —respondió Theo con una sonrisa.

—Muy astuto. La verdad es que soy «prácticamente perfecta en todo» —añadió Nella, extendiéndole la mano—. Me llamo Nella Rossi.

—Theo Cotter.

Dan puso los ojos en blanco mientras Nella sujetaba la mano de Theo por mucho más tiempo del que suele durar un apretón de manos normal. ¿Nella se había puesto colorada? Él nunca hubiera pensado que eso sería posible.

—Theo nos ahorró un dineral que íbamos a gastar en un objeto antiguo que, por lo visto, tiene menos de un día.

El muchacho se encogió de hombros.

—Desgraciadamente, os habíais topado con una de las peores trampas para turistas que hay por aquí. Si queréis, puedo enseñaros algunas de las verdaderas tiendas de antigüedades —sugirió con los ojos clavados en Nella.

—Eso sería estupendo —añadió la niñera, como si Theo acabara de ofrecerse a enseñarle los secretos del universo.

—Creo que deberíamos volver al hotel —opinó Amy. Theo parecía buena persona, pero ¿por qué deberían confiar en él? Además, no les sobraba el tiempo. Cuando estaban en Seúl, encontraron una tarjeta de puntos aéreos en la habitación de Alistair. Dan la guardó y después la utilizaron en el aeropuerto para reservar una habitación en un hotel llamado Excelsior. Amy estaba ansiosa por llegar y decidir por dónde empezar. Todo estaba sucediendo demasiado rápido.

Theo cogió un par de mochilas de Nella.

—Estás interesada en Napoleón, ¿verdad? —le preguntó a Amy—. ¿Sabías que cuando invadió Egipto se trajo a varios estudiosos, arqueólogos y artistas para que estudiasen el país?

«Muy típico de los Lucian», pensó Dan.

—La casa donde antes vivían sus estudiosos es ahora un museo, y yo conozco al conservador que trabaja allí.

«Oh, oh», volvió a pensar Dan. En cuanto oyó la palabra museo, su hermana empezó a salivar. Era como si alguien le hubiese puesto un *brownie* con extra de chocolate delante de las narices.

—¿Está cerca de aquí? —preguntó Amy impaciente. Tal vez fuese mejor pensárselo dos veces. Si la casa aún estaba allí, quizá pudiesen encontrar algo que los llevase hasta la pista siguiente.

—Nada está muy lejos en El Cairo —respondió Theo—. Se trata de la Casa Senari. Está en Haret Monge.

—Vale, eso ya lo sabíamos —dijo Dan.

—Vamos, entonces. Pararé un taxi.

Theo giró y los dirigió hacia una calle agitada en el centro de la ciudad. Dan no entendió muy bien cómo se dividían los carriles en esa calle. Los coches se colaban por espacios minúsculos entre los camiones, aceleraban ante los semáforos en rojo y circulaban siempre muy pegados a los autobuses. Todo ello acompañado de una sinfonía de bocinas y gritos. Amy, Dan y Nella intercambiaron miradas. No entendían cómo iban a encontrar un taxi en medio del caos.

Theo caminó tranquilamente hasta la mitad de la calle, puso un brazo en alto y un taxi frenó derrapando justo delante de él.

—¿Veis? —dijo Nella asombrada—. Es todo un Indiana Jones.

CAPÍTULO 3

Cuando llegaron a la casa Sennari, Theo entregó al taxista un fajo de billetes y le dijo unas cuantas palabras en árabe.

—*Baksheesh* —respondió el conductor.

—¡Salud! —exclamó Dan.

Theo sonrió.

—No, *baksheesh* significa propina —explicó—. Ahora nos esperará.

Theo se acercó a Nella y ambos empezaron a caminar. Dan se volvió hacia Amy.

—No es que esté muy entusiasmado con la idea de ir a otro museo. Pero ¿qué vamos a buscar exactamente?

—No lo sé —admitió su hermana.

—Esta conexión con Napoleón parece un poco... aleatoria —añadió él.

—Lo sé. No sabemos mucho. Aunque tampoco sabíamos demasiado en Filadelfia, París, Viena, Salzburgo, Venecia, Tokio o Seúl, y aun así nos las arreglamos para encontrar pistas. Sabemos que Napoleón era un Lucian y creemos que hay una pista en Egipto, así que si él la encontró, o si encontró algo, quizá haya dejado algún rastro por aquí para los Lucian.

—Sería genial robar algo que Irina tiene justo debajo de sus narices —dijo Dan.

Theo insistió en comprar las entradas. Atravesaron una puertecita y fueron a dar a un patio. Varias pequeñas palmeras de dátiles y algunos arbustos con flores rojas causaban un efecto refrescante, a pesar de la falta de sombra. En el centro había una fuente.

—La casa Sennari fue construida en 1794 —explicó Theo—. Es un ejemplo de la arquitectura doméstica islámica clásica, pues está construida alrededor de un patio central, llamado *sahn*. En mi opinión, posee algunas de las contraventanas *mashrabiya* más bonitas de El Cairo.

—Se refiere a las contraventanas de madera tallada de las ventanas —comentó Amy, señalándolas.

—Los estudiosos de Napoleón crearon la egiptología en el mundo occidental —continuó Theo—. Cuando sus artículos fueron publicados, en Europa se desencadenó una locura por todo lo egipcio.

—Fascinante —opinó Nella.

—Me tienes totalmente en vilo —respondió Dan irónicamente. Nella le pisó un pie.

—Antes solían tener una exposición permanente de la colección personal de Napoleón, pero la retiraron en 1926 —explicó Theo—. El edificio fue renovado en la década de los noventa. Ahora tienen algunos ejemplos de arte en cerámica y tejidos.

Dan detuvo a Amy sujetándola por la parte de atrás de su camiseta, pues ella tenía la intención de seguir caminando con los otros dos. Si no la hubiera detenido, Amy podría haber pasado horas en un viejo museo polvoriento absorbiendo información totalmente inútil.

—Oye, tú, que tenemos trabajo pendiente —le dijo—. ¿Por dónde empezamos?

—Pues supongo que bastará con que nos demos una vuelta y observemos todas las cosas que parezcan originales —sugirió ella.

—Está bien. No es que sea un gran plan, pero es un plan.

Exploraron todo el edificio, pero era complicado diferenciar qué formaba parte de la estructura original y qué había sido reparado o renovado. Entonces, encontraron una pequeña escalera de piedra que iba a dar al patio.

—Los Lucian son todos pequeños Napoleones —refunfuñó Dan—. Mira a Ian y a Natalie, no son más que unos sabihondos con dinero. ¿Y la camarada Irina? Una sabihonda con un tic napoleónico. Hasta el propio Napoleón era un sabihondo con un ejército.

—Muchas gracias, profesor, por esta reveladora clase sobre las Guerras Napoleónicas —respondió Amy—. ¡Mira esas esculturas! Theo tenía razón. Estas contraventanas son impresionantes. Y mira estos preciosos azulejos —dijo, pasando la mano por la pared.

—Hablas como Ian Kabra. ¿Recuerdas cuando admiró los marcos de las ventanas de Alistair? —A Amy le cambió la cara. Había mencionado el nombre. Cada vez que a Dan se le escapaba esa palabra, ella lo miraba con cara de «se me ha muerto el hámster». Parecía increíble que una adolescente de catorce años bastante normalita pudiese enamorarse de un idiota como ése. Él creía, o más bien esperaba, que ninguna hermana suya podría caer tan bajo.

La mirada perdida de Amy cambió de repente a una más curiosa. Señaló uno de los azulejos y preguntó:

—Esto de aquí... ¿No te resulta familiar?

Dan se puso en cuclillas.

—¡Es el blasón Lucian! —El escudo estaba escondido en el dibujo, pero él lo reconoció—. Es el único que tiene este aspecto.

—¡Esto tiene que indicar algo! —exclamó Amy entusiasmada—. Tal vez haya algo detrás de él —dijo la muchacha, presionando el escudo y luego las esquinas del azulejo.

—Ha estado ahí unos doscientos años —puntualizó Dan—, tal vez necesite algo de ayuda —dijo sacando una cuchilla de su bolsillo e introduciéndola en el alicatado—. A ver si consigo...

—¡Dan! ¡Estamos en un museo!

—No me digas.

—¡Alguien podría vernos!

—Entonces será mejor que mantengas los ojos abiertos —refunfuñó Dan mientras empujaba la cuchilla. Ya notaba el azulejo más flojo. Oyó los pasos de Amy alejándose. A su hermana le encantaban las normas y eso a veces se interponía en sus caminos.

Introdujo el cuchillo hasta el fondo y lo movió de un lado a otro; entonces consiguió meter sus dedos por una de las esquinas y tiró con cuidado. El azulejo cayó justo encima de su mano. Detrás de la pared había ahora un estrecho agujero. Dan metió la mano, esperando que sus dedos no se encontrasen con ninguno de los horrorosos insectos egipcios en lugar de una pista. Entonces tocó algo suave y redondo, lo sacó y vio que era un estrecho tubo de cuero.

—¿Qué estás haciendo?

Dan casi dejó caer el tubo por culpa del grito. Lo escondió detrás de él mientras el señor egipcio que vestía un traje gris lo seguía gritando desde la escalera. El hombre era corpulento, así que no debía de apetecerle demasiado subir toda la escalera hasta llegar a Dan. Además, tenía uno de esos *walkie-talkies* que sin duda podría usar para que acudieran guardias de seguridad en un par de segundos.

«Menuda vigilante eres, hermanita.»

Oyó los veloces pasos de Amy detrás de él en la escalera.

—Eh... la... la... —También la oyó tartamudear. Como de costumbre, el cerebro de Amy se había paralizado ante la autoridad.

Sin embargo, Dan estaba acostumbrado a enfrentarse a adultos rojos de ira. Todo empezó con su profesora de preescolar, la señorita Woolsey, y continuó con profesores de plástica (¡adoraba aquel póster!), monitores de comedor, directores e incluso la estación de bomberos de Boston. En comparación, ese tipo era pan comido.

Entonces Dan recordó que estaba en un país extranjero; en uno con prisiones. ¿Meterían en la cárcel a los niños de once años en Egipto?

Los ojos del hombre se entrecerraron.

—¿Qué escondes ahí?

—Eh... esto se ha caído de la pared. —Con una mano, Dan le mostró el azulejo y, con la otra, sujetó el tubo detrás de su espalda.

—¡El alicatado es original de la casa! ¡Estas piezas son muy frágiles!

—Por eso mismo lo digo —dijo Dan razonablemente. Aliviado, notó cómo Amy le cogía el tubo de la mano—. Se ha caído —explicó, levantando la baldosa—. ¿Lo quiere?

—Jovencito, no te atrevas a...

Dan lanzó la pieza por el aire.

Tuvo tiempo de admirar el rostro sorprendido del hombre, que de un salto se tiró al suelo tratando de salvar el azulejo. Después, echó a correr escaleras arriba detrás de su hermana.

—¿Ha visto a ese tipo? —dijo Dan jadeando—. Sería un perfecto defensa si jugase al béisbol.

—¡Ojalá —respondió Amy— dejaras de... disfrutar tanto robando cosas!

Oyeron fuertes pasos detrás de ellos acercándose. Más guardias se habían unido a la persecución. Giraron rápidamente a la derecha y corrieron por un pasillo estrecho. Dan se coló en una pequeña habitación. Corrió las cortinas y saltó a la barandilla del balcón.

—No hay mucha distancia —le dijo a Amy—. Además, ya deberías ser toda una experta en este arte.

—No quiero ser una experta en esto —respondió ella con los dientes apretados mientras pasaba una pierna por encima de la barandilla—. Yo quiero ser una experta en investigación bibliotecaria —puntualizó mientras levantaba la otra pierna—, o en patinaje sobre hielo —dijo mientras se colgaba, sujetándose con las dos manos y con los ojos cerrados—, o si no, haciendo tartas...

—¡Suéltate! —gritó Dan y su hermana obedeció. Él fue detrás de ella.

Sintió cómo las piedras del patio le hicieron vibrar los huesos de los tobillos. No se esperaba que fuera a dolerle... tantísimo. Amy rodó al caer. Lo miró preocupada. Él asintió para que supiese que estaba bien.

Alguien gritó algunas palabras en árabe, pero Dan no necesitaba ninguna traducción. Sabía perfectamente que esa persona no estaba muy contenta.

—¿Qué estáis haciendo ahí tirados? —preguntó Nella, que acababa de llegar a través de una de las puertas de las habitaciones contiguas al patio—. ¿Sabéis dónde están los servicios para mujeres?

Sin responderle, Dan y Amy corrieron hacia ella, la abrazaron y empezaron a arrastrarla hacia la salida.

Los guardias llegaron al patio y empezaron a correr.

—¡Oh no! ¡Otra vez no, por favor! —protestó Nella.

—Grítanos luego, ¡ahora corre!

Abrieron la puerta principal mientras los gritos resonaban en el patio que dejaban atrás. El taxi los estaba esperando, así que entraron inmediatamente.

—¿Adónde? —preguntó el taxista, despertándose para encender el coche.

—¡Arranque, vamos, arranque! —exclamó Nella.

—¡Voy, voy, voy! —gritó el conductor alegremente mientras pisaba el acelerador con tanta fuerza que casi atraviesan el techo del vehículo—. ¡Me encantan los americanos!

CAPÍTULO 4

En cuanto el taxi se unió al furioso río de tráfico de una de las calles principales y estuvieron seguros de que nadie los seguía, Nella le dijo al conductor el nombre del hotel. Después, se recostó en su asiento y suspiró.

—Vosotros dos me debéis una muy gorda. Acabo de dejar a mi alma gemela esperando a que vuelva del aseo.

—No te preocupes —dijo Dan—, siempre te quedará el *cardapopo*.

—Cardamomo —corrigió la niñera.

—Te lo compensaremos —respondió Amy—. Ha valido la pena, hemos encontrado algo.

Amy sujetó el tubo de cuero, desató los viejos y desgastados cordones y quitó la tapa. Puso el recipiente boca abajo y lo sacudió delicadamente. Se quedaron todos boquiabiertos al ver salir un pequeño fragmento de pergamino enrollado que cayó en su mano.

Estaba seco y deshecho por los bordes. Era tan frágil que Amy hasta tenía miedo de respirar.

—Creo que es una vieja carta, o por lo menos, parte de una —dijo ella desdoblándola lentamente.

Dan gimió.

—¡Francés otra vez no!

et pour la plus grande gloire des
descendants de Luc et mon Empereur,
l'indice est maintenant en route pour le
Palais du La Paris. B. D. 1821

—¿Traducción? —le pidió Amy a Nella.

—«Y para una mayor gloria de los descendientes de Luke y mi Emperador, la pista está ahora de camino al palacio de...» —La niñera se detuvo, bajó sus gafas de sol hasta la punta de su nariz y volvió a leer—: «*¿... du la Paris?*» ¿De la París? Ahí hay un error. A menos que la L sea una inicial.

—¿Y quién podría ser L? —se preguntó Dan.

—Bueno, hay una lista grande de reyes de Francia que se llamaron Louis —informó Nella—. Uno de ellos perdió la cabeza, pero tenía un palacio llamado Versalles.

—Lo que importa es que, según parece, los Lucian se han llevado una pista a un palacio. Aun así, me pregunto quién será B. D. —dijo Amy entre suspiros—. Tenía la esperanza de que se tratase de un mensaje de Napoleón.

—¿Quiere eso decir que la pista se nos ha quedado en Francia? —quiso saber Dan.

Amy guardó cuidadosamente el papel en su riñonera.

—Si seguimos investigando, todo esto tendrá sentido tarde o temprano.

Habían estado tan concentrados en el mensaje que no se

habían dado cuenta de que el taxi había abandonado una de las calles más ajetreadas y se había adentrado en un vecindario más tranquilo. Las buganvillas florecían en explosiones de rosa y morado.

—Vaya —dijo Nella abriendo la ventanilla y sacando la cabeza para respirar el aire—, huele a gente rica.

El taxi se paró en una gran explanada. Amy y Nella se quedaron boquiabiertas y Dan exclamó: «¡Genial!», al ver el hotel.

Se trataba de una enorme mansión blanca con un verde césped que se extendía hasta el porche principal. Una pareja vestida con dos albornoces caminaba por un patio lateral hacia una piscina de aguas azul turquesa. Un empleado se acercó a ellos para llevarlos hasta un *bungalow*. Los camareros se deslizaban entre las sillas, equilibrando bandejas con bebidas refrescantes. Al otro lado del Nilo se erigían las pirámides de Guiza, apareciendo entre el aire amarillento como si de un sueño se tratase.

Nella silbó.

—Un estilo de vida al que estoy dispuesta a acostumbrarme.

—¿Cómo podemos permitirnos esto? —preguntó Amy.

—Tenemos el dinero de los Kabra —recordó Nella—, que sin duda ahora es totalmente nuestro. Nos lo hemos ganado.

—Eso está claro —añadió Amy, recordando la puñalada trapera de Ian. El abogado de Grace, el señor McIntyre, les había dicho: «No os fiéis de nadie», ya el primer día. No debería haber olvidado ese consejo en ningún momento. Sin embargo, ella había mirado el negro azabache de los ojos de Ian y se había dejado conquistar. «Idiota. Muy idiota, Amy.» No se le daba nada mal la escuela, pero las emociones de la vida real no eran lo suyo.

—Aun así podríamos quedarnos sin blanca rápidamente en un sitio como éste —confirmó Nella—; tal vez deberíamos escoger cualquier otro lugar.

El taxi ya se había detenido. Un elegante botones se apresuró a abrir la puerta y otro recogió el equipaje. Antes de que pudiesen detenerlos, ya los habían hecho salir del coche y el taxista había dado la vuelta.

El botones colocó sus gastadas mochilas y maletas en el carro. Sus camisetas y vaqueros arrugados contrastaban con el ambiente del lugar

—Bienvenidos al hotel Excelsior —dijo el primer botones—. Síganme, por favor.

Caminaron detrás de él mientras Nella se arreglaba el pelo, Amy se metía la camiseta por dentro del pantalón y Dan intentaba coger su mochila del carrito.

En el mostrador principal se encontraron con más empleados sonrientes. Un caballero esbelto y guapo los recibió.

—Bienvenidos al hotel Excelsior. ¿Podría decirme su nombre, por favor?

—Eh... —dijo Nella.

—Oh... —respondió Dan.

—¿Oh?

—Oh —dijo Dan firmemente.

—Lo siento, no tengo ninguna reserva —dijo el hombre consultando el ordenador—. Sin embargo, podría recomendarle otros hoteles... Discúlpeme —dijo mientras sonaba el teléfono. Su postura se iba volviendo más rígida a medida que avanzaba su conversación telefónica. Los miró detenidamente y después se volvió para susurrar algo a su compañero—. Por supuesto, señor. Lo solucionaré inmediatamente. —Colgó el teléfono y volvió a colocarse frente al ordenador—. Oh. Sin problemas, la reserva Oh. Le hemos reservado la Suite Asuán, como siempre.

—¿Suite? —se le escapó a Amy.

—Con el descuento familiar habitual, claro —añadió, entregando el registro a Nella—. Firme aquí, por favor.

Amy echó un vistazo al precio. Para su sorpresa, no era mucho más caro que el hotelucho en el que se habían alojado en París. Nella firmó el registro y el recepcionista les entregó tres tarjetas llave.

Estiró la mano para tocar la campanilla.

El botones los guiará hasta su cuarto.

—¿Descuento familiar? —susurró Amy.

—Técnicamente somos familia —puntualizó Dan.

—Vuestra loca familia está muy esparcida por todo el mundo —dijo Nella, admirando los enormes jarrones llenos de flores—, así que técnicamente tenéis familia por todas partes. Pensad en la cantidad de hoteles de cinco estrellas en los que podríamos alojarnos... y sólo necesitaríamos tarjetas de viajero frecuente.

—Shhh —dijo Amy al entrar en el ascensor. El botones pasó la tarjeta llave por una ranura y después le dio al número trece.

Cuando las puertas del elevador se abrieron, el empleado los llevó hasta el vestíbulo. Sólo había una puerta.

—¿Dónde están el resto de las habitaciones? —preguntó Nella.

—Esta *suite* ocupa toda la planta —explicó el muchacho—. Creo que será de su agrado —añadió pasando la llave por una nueva ranura—. Necesitarán la llave también para el ascensor, pues sólo ustedes tienen acceso a esta planta.

El joven abrió la puerta y todos se quedaron boquiabiertos.

Enormes ventanales que iban del suelo al techo mostraban el panorama: el Nilo y, detrás, las pirámides de Guiza. Se encontraban en una sala de estar con una butaca, dos sofás, una zona destinada a comedor y un escritorio. Cuando el botones abrió la puerta de la habitación, Dan prácticamente bailó de alegría detrás de él.

—¡Tenemos tres cuartos de baño! —canturreó.

Nella metió la mano en su bolso y le entregó una propina al chico, que cerró la puerta suavemente. En cuanto se fue, Amy se desplomó en la butaca, Nella se quitó los zapatos y Dan saltó a un sofá. Todos gritaron un entusiasmado «¡genial!».

Nella sacó a *Saladin* de su transportín.

—Bienvenido a la vida del lujo, *Sally* —le dijo dándole un beso en su acicalada cabeza. El gato registró el lugar olisqueándolo por todas partes. Se subió al escritorio, caminó por lo alto del respaldo de un sofá, escogió el cojín más grande y esponjoso, se acurrucó en él y les guiñó un ojo como diciendo: «Creo que podría acostumbrarme a esto».

Dan saltó del sofá y empezó a dar vueltas de un lado para otro en la *suite*, informando a Amy y a Nella del estado de la habitación:

—¡Atención, atención! ¡El escritorio está lleno de papel de carta y sobres! ¡Aquí hay una guía turística! ¡En esta cómoda, tenemos un paraguas! —Entró de nuevo en la habitación y desapareció en el armario, saliendo con un albornoz que era tan largo que se arrastraba por el suelo detrás de él. Abrió un cajón de una mesilla de noche—. ¡Una Biblia! —Cerró el cajón y siguió buscando debajo de las almohadas.

Nella y Amy entraron también en la habitación.

—¿Qué estás buscando? —preguntó Amy—. ¿Al ratoncito Pérez?

—Chocolate; ¿no dejaban chocolate bajo las almohadas en hoteles pijos como éste?

Nella se rió tontamente.

—Debajo no, encima, y lo dejan cuando te hacen la cama.

El muchacho volvió a desaparecer en uno de los cuartos de baño.

—Deberíais ver cuánto champú tenemos —dijo sacando la cabeza por la puerta—; sé que a las chicas os gusta muuuucho el champú —añadió, parpadeando presumidamente con sus largas pestañas. Amy le tiró una almohada.

Dan la esquivó y corrió hacia la sala de estar.

—¡Bingo! ¡Acabo de encontrar el minibar! —exclamó.

Nella se estiró.

—Bueno, yo me voy a meter en esa bañera, voy a echar unos cuantos litros de espuma de baño y no voy a salir hasta que llegue la comida.

—¿Qué comida?

—La que estás a punto de pedir al servicio de habitaciones —replicó Nella—. ¡Ah! No dejes que Dan ataque el minibar o nos llevará a la ruina en un abrir y cerrar de ojos. —Nella sacó un albornoz del armario y se puso sus cascos—. Y no te cortes con la comida, estoy famélica —continuó casi gritando, ya que la música que escuchaba debía de estar a todo volumen. Movió los dedos haciendo una onda y cerró la puerta del baño. Amy oyó el grifo abriéndose al máximo.

La muchacha caminó hasta la sala de estar. Dan estaba comiéndose una chocolatina de pie delante de la única puerta de la *suite* que estaba cerrada. Ya había inspeccionado todos los aparadores.

—Dan, Nella ha dicho que no ataques el minibar. Esas cosas son tan ca... —La niña se dio cuenta de que su hermano estaba como petrificado, mirando algo al otro lado de la habitación. Ni siquiera estaba masticando.

—¿Qué te pasa, tonto? Es sólo una puerta. P-U-E-R-T-A.

—¿No dijo el botones que sólo había una suite en cada planta? —dijo Dan—. A ver, aunque esto sea como un palacio, no ocupa toda la planta. Estamos en el ala este del hotel. En esta parte había siete ventanas, pero nosotros sólo tenemos cuatro.

Amy no se molestó en preguntar cómo se había dado cuenta. Su hermano, el cerebrito, tenía un ordenador en la cabeza. Ella no dijo nada mientras él, vestido ridículamente con su albornoz, caminó hacia la puerta y se arrodilló delante de ella. Estaba decorada con una estructura de latón que tenía una cerradura antigua.

—Mira esta cerradura. ¿No te resulta familiar? —le preguntó Dan.

—No —respondió ella, arrodillándose para mirarla más de cerca. Le llevó un largo rato, y entonces dijo:

—Es el símbolo de la rama Ekaterina. Ese extraño dragón alado.

—¿Y por qué hay una cerradura si en el resto del hotel las llaves son tarjetas? Tiene que haber una llave extraña por algún lado, una que encaje aquí —sugirió Dan, mirando a su alrededor—. Pero ¿dónde está?

—¿Crees que está aquí? ¿En la habitación?

Entonces el joven cayó en la cuenta.

—Amy, ¿te acuerdas de todas esas cosas aburridas que me leíste en el avión? ¿Cuáles son las precipitaciones anuales de El Cairo?

—Menos de 250 milímetros —respondió Amy—, y la mayor parte cae entre diciembre y marzo.

—Entonces —añadió Dan volviéndose hacia el armario—,

¿por qué hay un paraguas aquí dentro? —preguntó mientras lo sujetaba con sus manos—. Pensaba que el mango estaba adornado con diseños egipcios —dijo él enseñándole los dibujos a su hermana—. Pero mira... —El chico desenroscó la empuñadura y ésta cayó en su mano. Amy observó detenidamente las imágenes grabadas, que coincidían con las inscripciones de la placa de latón de la puerta. Además, tenía la misma forma que la cerradura.

Dan dejó caer el albornoz que llevaba puesto, cogió la empuñadura del paraguas y la introdujo en el cierre. Se deslizó fácilmente. El muchacho miró a su hermana y ella asintió, así que giró el pomo y la puerta se abrió.

Despacio, entraron en la estancia.

Estanterías de acrílico se extendían por una larga y amplia galería. Una serie de arcos conectaban unas galerías con otras. Allí se encontraron con maquinarias complicadas y planos, dibujos enmarcados, fotografías, mapas, retratos y textos que cubrían las paredes. Cuando cruzaron el umbral de la puerta, se encendieron las luces del techo, los objetos de las vitrinas empezaron a rotar y varios hologramas tridimensionales aparecieron repentinamente y comenzaron a girar.

En una de las vitrinas, un objeto envuelto en papel de aluminio daba vueltas sobre sí mismo.

—¡Es el burrito de microondas de Alistair! —exclamó Dan—. ¡Esto debe de ser la fortaleza Ekat!

Entonces se oyó un ruido sordo detrás de ellos. La puerta se había cerrado. Amy corrió hacia ella.

—Está cerrada —afirmó—, pero por lo menos tenemos la llave.

Dan miró sus manos vacías.

—¿Estás segura?

CAPÍTULO 5

—No digas nada —pidió Dan—, ya sé que es culpa mía. Pero es que este lugar es tan genial que me he olvidado completamente de la llave.

—¿Cómo vamos a salir de aquí?

—Ya veremos. Venga, vamos a explorar.

—No estoy tan segura —respondió Amy—. ¿Y si hay alguna trampa?

—Entonces ya habríamos caído en ella —puntualizó Dan.

Amy bajó la voz y susurró:

—¿Por qué no hay nadie aquí? Las otras fortalezas estaban llenas de gente.

—Porque hemos tenido suerte. Venga, no seas gallina.

Dan corrió hacia la galería. No podía resistir el despliegue de genialidad e inventiva que había ante él. Los hologramas resplandecían y las pantallas parpadeaban. En una esquina, una máquina empezó a repiquetear y a escupir cinta de película, como en el cine antiguo. Planos de invenciones cubrían una de las paredes de arriba abajo. Continuó galería abajo mientras le contaba a su hermana:

—¡Increíble! ¡Thomas Edison era un Cahill! ¿No es genial? ¡La bombilla!

Amy caminaba más lentamente entre los objetos. Mientras Dan rodeaba la maqueta de un barco de vapor de Robert Fulton, ella observaba el esquema de un sistema de reparto de armas submarino.

Dan gritó emocionado:

—¡Una desmotadora! ¡La máquina del algodón! Así que el inventor Eli Whitney era un Ekat. ¡Todo un genio!

Más adelante, Amy vio una cortina negra que parecía absorber toda la energía de la habitación.

—¡Amy! ¡Hemos inventado la bicicleta!

Lentamente, la joven caminó hacia allí. Cuando estuvo más cerca, se dio cuenta de que lo que había en aquella esquina no era en realidad una cortina, sino que se trataba de un muro de sombra que, de alguna forma, proyectaba una máquina que jugaba con las luces... ¿o era con la ausencia de luz? ¿Cómo era posible?

—La máquina de coser. Elias Howe, ¡eres un as!

Vacilante, se movió entre la sombra. Frente a ella había una pantalla blanca. La joven se acercó a ella y ésta se activó.

Tardó casi un minuto en entenderlo. Al principio, la pantalla sólo mostraba planos de inventos, después se vieron números. Oyó a Dan decir algo sobre el motor de combustión interna.

—¡Bien hecho, Marie Curie! ¡La radiactividad!

Entonces empezó una presentación de diapositivas que mostraba fotografías en blanco y negro. Amy, asustada, se cubrió la boca con las manos.

Dan estaba justo fuera de la sombra.

—¡Estos inventos son asombrosos! ¡Hemos cambiado la historia!

—Nosotros no —susurró ella.

Otro conjunto de imágenes apareció en la pantalla.

—¡Nosotros no, Dan! —gritó la joven de repente.

Dan atravesó la cortina de sombra.

—¿Qué es esto? —preguntó mientras estudiaba la forma y después observaba una vieja fotografía en blanco y negro. En la presentación empezaban a salir más fotografias. Amy empujó a su hermano hacia la galería iluminada.

—¡Eh! —protestó él—. ¿Qué estás haciendo? ¡Quiero verlo!

—No —respondió Amy furiosa—. No quieres. No quieres saber cómo hemos inventado un gas venenoso que mató a millones de personas.

El rostro de Dan palideció.

—¡O cómo descubrimos la forma de dividir un átomo e hicimos volar por los aires una ciudad entera!

Con el calor, Dan empezó a ponerse colorado, aunque la cicatriz que tenía debajo de su ojo permaneció blanca. Así se ponía Dan cuando estaba muy triste. Ella tenía que dejarlo, pero no lo hizo. No pudo hacerlo.

—Armas químicas, Dan. ¿Ésas también son geniales? —Amy no sabía por qué estaba tan enfadada con su hermano—. ¿Es el genocidio tan estupendo?

Amy se alejó de él con las manos temblorosas. Por primera vez desde que él era un niño pequeño, había conseguido hacer llorar a su hermano. Era extraño, pues era ella quien quería estallar en lágrimas. Quería patalear y gritar, pero sus ojos estaban secos.

—¿Y si nosotros somos Ekat? —susurró ella—. ¿Y si toda esa maldad forma parte de nosotros? ¿Y si está empapada de nuestro ADN?

Viendo el terror reflejado en su rostro, de repente, Dan también sintió miedo.

—Hemos visto que en todas las ramas ha habido gente mala —dijo él—, pero también hay muchos Ekat que fueron buena gente. Por ejemplo, ¿quiénes seríamos sin Edison? Habitantes de la oscuridad, eso seríamos. Aun así, no sabemos de qué rama somos. Sólo sabemos que somos Cahill. Si tuviese que elegir una rama basándome sólo en la gente mala, no escogería ninguna.

Amy se desplomó en el suelo y apoyó la cabeza contra la pared.

—¿Qué estamos haciendo aquí? —preguntó—. Cuantas más cosas averiguamos, más dudas tengo. ¿Por qué querría Grace que supiésemos que estamos relacionados con tanta maldad?

—Antes sólo estaba parloteando —contestó él—. Decir que nosotros somos responsables de eso —añadió, señalando la cortina negra con la cabeza— es como decir que yo inventé la máquina de coser.

Amy sonrió levemente.

—Cierto. Pero Grace... Ella siempre nos protegía. Ella nos quería, Danny. O por lo menos... eso es lo que creía yo.

Dan estaba demasiado aturdido como para quejarse de que lo llamase «Danny». Ese nombre quedó descartado cuando cumplió los seis años.

—¿Eso creías tú? ¿Qué quieres decir?

—Desde que empezamos con esto, siempre nos hemos preguntado por qué Grace no nos ha ayudado —explicó ella—. No nos dejó ningún mensaje privado. No nos dejó nada. Sólo nos incluyó en el montón con el resto de los Cahill.

—Como si no fuésemos especiales para ella —añadió Dan, esperando que su hermana defendiese a Grace como siempre hacía. Le molestaba que lo hiciese, pero de alguna forma, hacía que se sintiera mejor. Sin embargo, ella le dio la razón asintiendo.

—Entonces, ¿crees que realmente la conocíamos tal y como

era? —preguntó la joven—. Piensa que en su vida ella estaba relacionada con todo esto y nosotros nunca supimos nada. Ser una Cahill era una gran parte de su personalidad. ¿Cómo íbamos a conocerla, a entenderla a fondo si no sabíamos nada de esto? —Amy tragó saliva—. Hace que me sienta tan...

—¿Idiota? —preguntó Dan—. Eh, habla por ti.

A Amy ni siquiera la fastidió el comentario.

—El señor McIntyre dijo: «No os fiéis de nadie». ¿Incluirá eso también a Grace?

Amy cerró los ojos. Odiaba decir esas cosas. Odiaba incluso pensarlas, pero ahora no podía parar. Había confiado en personas que no se lo merecían. Eso sí que era de idiotas. Ian la había tomado por tonta y ella probablemente lo había ayudado a creérselo. Si quería ganar ese concurso, iba a tener que espabilar.

—En esas excursiones a las que nos llevaba... a museos y bibliotecas universitarias, ella me enseñó a investigar de forma adecuada; así si algún día tenía que ir a un lugar parecido, no me sentiría intimidada. ¿Recuerdas lo que hizo cuando fuimos al acuario, Dan?

—Me hizo repetir los nombres de cada uno de los peces que vi —respondió él—, incluyendo los nombres latinos. Yo pensaba que era un juego.

—Estaba entrenando tu memoria fotográfica —dijo Amy—. Todo ese tiempo, lo dedicó a prepararnos. —Movió el brazo de arriba abajo señalando la galería—. ¡Para esto! Pero ¿por qué querría que lo supiéramos? Hemos mentido, robado y hecho trampas para llegar hasta aquí. Nos hemos convertido en delincuentes, básicamente.

—Lo sé —confirmó su hermano—. Genial, ¿verdad?

Su voz no era firme y hablaba con la mirada perdida. Amy sabía que su hermano pequeño estaba tratando de distraerla y que tenía miedo de lo que ella le iba a decir, pero aun así, tenía que hacerlo.

—¿Qué más tendremos que hacer antes de que esto acabe? —preguntó ella—. ¿Por qué querría Grace que nos expusiésemos a esto? —La muchacha empezó a susurrar—. ¿Es que ella también era mala?

—¡No digas eso! —gritó Dan. Ya no quería saber nada más de la nueva Amy. Sólo quería sacudirla hasta que su antigua hermana volviese.

Él apenas podía recordar a sus padres. Grace era lo único que le quedaba cuando necesitaba recordar cosas que lo hiciesen sentir seguro. No podía permitir que Amy le quitase eso.

—¡Cállate ya! —le dijo furioso.

Nunca había mandado callar a su hermana, ni siquiera cuando lo llamaba tonto, idiota o pesado. No tenían permiso para decirse esas cosas el uno al otro. Sus padres les habían impuesto esa norma y, aunque él no los recordase diciéndolo, Amy sí.

Sin embargo, él quería que se callase. Si pudiese hacerlo sin parecer un bebé, se habría tapado las orejas con las manos. Pudo ver en su cara que ella sabía que había ido demasiado lejos. La muchacha se había convertido en un fiscal.

—¿Por qué no nos ha ayudado? ¿Por qué? Piénsalo. Tuvimos la suerte de que Nella pudiese venir con nosotros, ¿o es que Grace esperaba que viajásemos alrededor del mundo por nuestra cuenta y que nos pusiésemos en grave peligro? Si nos quería, ¿por qué no quiso protegernos? ¿Y lo de las ramas de la familia? Seguro que sabía a cuál pertenecemos. Todo el mundo sabe cuál es la suya. Irina. La horrible familia Holt sabe que pertenecen a los Tomas. Incluso Natalie y... —Amy tragó saliva, «y el innombrable»—. Natalie y su hermano son Lucian. Nosotros somos solamente... nosotros.

—Ya basta —dijo Dan, con voz temblorosa. Él entendía que se preguntase por qué Grace no les había dejado ningún tipo de mensaje. De hecho, él también se había enfadado con su abuela. Pero que Amy dijese que Grace había sido una especie de monstruo que los había entrenado para esto... era aterrador.

No podía ser verdad. Algo en su interior se rompería en pedazos si lo fuese. Hubo ocasiones en las que se sintió excluido cuando su abuela aún estaba viva. Amy era más como ella, porque a las dos les gustaban la historia y los museos. Sin embargo, ahora era como si su hermana estuviese explicando en voz alta cada uno de los pensamientos oscuros que él había tenido desde el funeral de Grace. Se suponía que Amy no debería hacer eso, ella tenía que defender a su abuela. Si Amy ya no se fiaba de Grace, entonces ya no les quedaba nada de nada.

Dan se dio la vuelta y se fue con el rostro enfurecido.

Amy se quedó en el suelo. Tocó su collar de jade, ese que nunca se quitaba y que había pertenecido a Grace. Se sintió enfermar por dentro. Había un vacío en su interior que antes no estaba ahí. Era la ausencia de algo de lo que había dependido: el amor de Grace.

«Se ha ido —pensó la joven—. Ya no está conmigo.» Con la cabeza entre las manos, oyó el eco de las pisadas de Dan, que caminaba por la galería tratando de distanciarse de ella. El ruido se detuvo. Un largo silencio le hizo levantar la cabeza. Dan estaba en la tercera galería, inmóvil delante de una vitrina. Lo notó algo tenso y eso la hizo despertar y alertarse.

—¿Qué es eso? —preguntó ella. No hubo respuesta.

Se levantó y caminó hacia él. El joven estaba de pie enfrente de tres vitrinas colocadas en fila. Cada una de ellas tenía una estatua de la diosa Sakhet con cabeza de león. Las tres piezas eran idénticas, medían tan sólo unos veinte centímetros y parecían estar hechas de oro macizo. Sólo los ojos eran diferentes: los primeros brillaban con piedras verdes, los segundos eran rojos y los terceros, azules. Cada una de las estatuas flotaba y giraba sumergida en una piscina de luz blanca.

—Esto debe de ser lo que estábamos buscando —susurró Amy, olvidando momentáneamente la discusión. Las estatuas eran de una fría belleza, como las joyas—. Los Ekat ya las habían encontrado.

Dan vio un monitor de ordenador en una de las vitrinas y puso el dedo en un panel táctil. Apareció un holograma. Era un diagrama de Sakhet, que giró para mostrar una sección transversal de la misma. La pantalla del ordenador mostró lo siguiente:

LA PRIMERA SAKHET FUE DESCUBIERTA DURANTE UNA EXPEDICIÓN DE NAPOLEÓN A LA PIRÁMIDE DE LA REINA EN GUIZA. SE CREE QUE HA SIDO DEJADA POR KATHERINE. FUE ENVIADA AL LOUVRE Y POSTERIORMENTE RECUPERADA. SE HA ENCONTRADO ESTE DISEÑO EN SU INTERIOR.

Una imagen apareció en la pantalla:

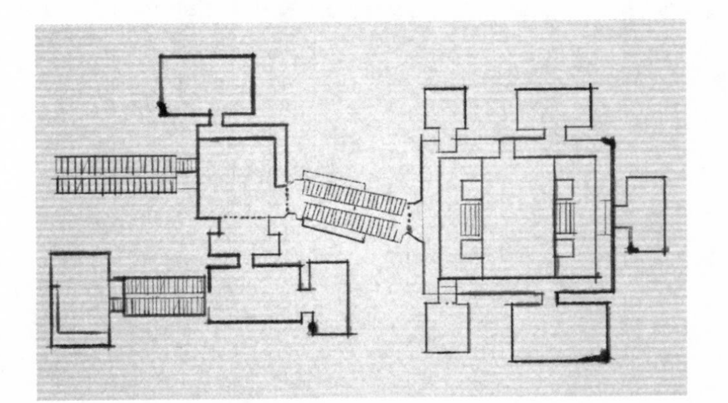

Caminaron hacia la siguiente vitrina, la que contenía una Sakhet de ojos verdes. Dan tocó la pantalla.

LA SEGUNDA SAKHET FUE ENCONTRADA POR HOWARD CARTER (EKAT), 1916, EN LA TUMBA DE HATSHEPSUT, EN TEBAS. LAS PRIMERAS INVESTIGACIONES NO ARROJARON NINGUNA LUZ. LA ESTATUA HA SIDO EXAMINADA RECIENTEMENTE POR TND (TÉCNICAS NO DESTRUCTIVAS) MÁS AVANZADAS, INCLUYENDO LA RADIOGRAFÍA DIGITAL Y LA TOMOGRAFÍA COMPUTERIZADA EN 3D. RESULTADO: LA ESTATUA ES SÓLIDA, NO HAY COMPARTIMENTOS SECRETOS.

Continuaron hasta la siguiente Sakhet y, de nuevo, Dan tocó la pantalla.

COMPRADA POR BAE OH EN 1965. COMPARTIMENTO SECRETO ENCONTRADO POR ALISTAIR OH.

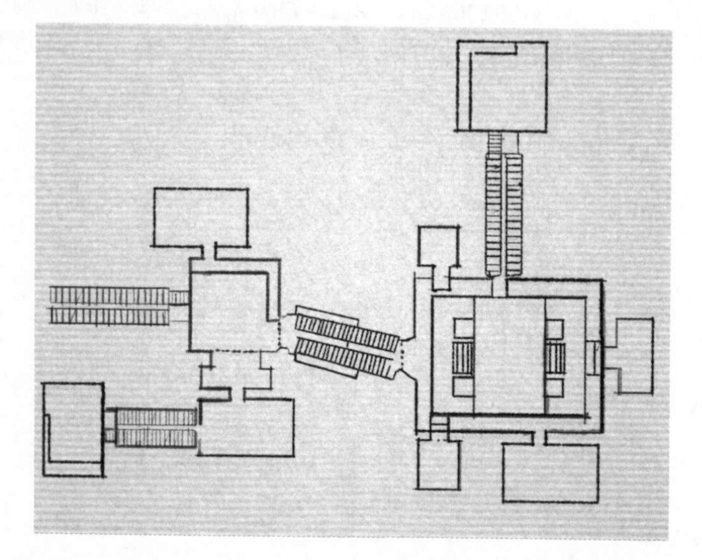

Amy regresó a la segunda Sakhet, la que había encontrado Howard Carter. Ella sabía que Carter era un famoso arqueólogo. Más adelante, en 1922, encontró la tumba del emperador Tutankamon.

—Aquí dice que estudiaron los mapas durante años —dijo Dan—. Los dos mapas son iguales, pero hay algunas diferencias. Nadie ha sido capaz de descifrarlos. Se cree que son mapas de tumbas, pero no coinciden con ninguna de las que se han descubierto.

—Pero ¿no te parece extraño que ésta no tenga un compartimento secreto? —preguntó Amy—. Tal vez Howard Carter se haya equivocado de Sakhet. Es posible que aún haya una por ahí fuera.

Estaban tan concentrados estudiando las estatuas que no oyeron el «tap tap» de un bastón.

—Eso es, jovencita. Exactamente —dijo Bae Oh—. Yo también lo creo. Y creo también que la tiene mi sobrino.

CAPÍTULO 6

«¿De dónde ha salido?», se preguntó Dan. No vio ninguna puerta en ningún lado. Era como si acabase de salir de la nada. Le pareció espeluznante.

—He tenido el placer de oír que habéis hecho una reserva a mi nombre. Pensé que sería mi sobrino. Es una pena no poder verlo. La verdad es que tenía ganas de encontrarme con él. —Bae sonrió, aunque más bien parecía que le enseñaba los dientes a un dentista—. No es que no sea agradable veros a vosotros dos.

Dan no le creyó ni una palabra. Recordó que la puerta de salida estaba cerrada. ¿Adónde irían si tuviesen que echar a correr? Comprobó que la mirada de Amy apuntaba por detrás de Bae. Ella también estaba buscando una forma de escapar.

La extraña sonrisa del anciano crecía poco a poco; era como si pudiese oler el miedo.

—¿Qué os parece la fortaleza de los Ekaterina? —preguntó señalando alrededor de la estancia con su bastón enjoyado—. He de confesar que para mí es todo un orgullo. El diseño es de mi propia creación.

—Bueno, es algo más que una sala de espera —respondió Dan.

La sonrisa de Bae se desvaneció.

—Incluso algunos Ekat están celosos de mi ingenio. No se dan cuenta de que esto no tiene nada que ver con mi propia gloria, pues yo la diseñé para todos los Ekat. Sin embargo, ¿me equivoco al señalar que fui yo quien tuvo la previsión de comprar este hotel? Yo fui el que tuvo la visión. El Cairo siempre ha tenido una fortaleza Ekat, pero no tenía nada que ver con esto. Se trataba de una casa en ruinas que Howard Carter fundó en 1915, cuando buscaba la segunda Sakhet. Durante la Segunda Guerra Mundial tuvimos que esconder los objetos por aquí y por allá, pero yo tuve la sabiduría de construir una fortaleza mejor. Nadie más entendió la enorme necesidad de hacerlo. Me llevó años y, con los avances tecnológicos, he podido perfeccionarla considerablemente. La calidad es tan buena como la de un museo, ¿no os parece? O incluso mejor. Es un tributo a la medida de los grandes genios descendientes de Katherine.

—Incluyendo a tu sobrino —dijo Amy.

—Bah. —La delgada boca de Bae se frunció disgustada.

—Pensaba que tu nombre era Bae, no Bah —respondió Dan—. ¡Vaya equivocación!

Bae fijó su oscura mirada en Dan. El muchacho sintió que un escalofrío le recorría el cuerpo. Era como ver fijamente los ojos de un tiburón unos segundos antes de que éste abra la boca y te corte en dos con sus potentes mandíbulas.

—He oído que eres un tipo sensato —le dijo Bae—. Estoy seguro de que eso te ayudará a llegar lejos —añadió. Después volvió a mirar a Amy—. Alistair ha sido una gran decepción para mí. Una mente tan brillante en un hombre tan tonto.

—Entonces... ¿por qué estás tan interesado en encontrarte con él de nuevo? —preguntó la muchacha. Tal vez estuviera acorralada e incluso asustada, pero no iba a permitir que ese malvado hombre los manejase.

—Yo soy su tío. Le prometí a mi querido difunto hermano que cuidaría de él. Cuando Alistair era más joven, era un muchacho muy prometedor. Era el que iba a descubrir cómo abrir la tercera Sakhet. Después decide marcharse para convertirse en inventor, ¿y qué es lo que inventa? ¡Un insípido e indigesto trozo de cartón congelado disfrazado de comida!

—Por lo que yo oí, ganó unos cuantos millones por ese trozo de cartón —respondió Dan.

Bae se apoyó en su bastón.

—Debes entender algo: el dinero no es señal de grandes logros. Al menos para los Ekat. Es por eso por lo que somos superiores a los demás. ¿Qué valoramos? No es el poder, como los Lucian, ni la fuerza bruta, como los Tomas. Ni siquiera la inteligencia de los Janus. No. Es algo mucho mayor: es el ingenio y la inspiración canalizados hacia la utilidad. —Entonces señaló a su alrededor con su bastón—. ¿Veis lo que hemos hecho?

—Sólo hemos visto unos ejemplos horribles de lo que ha hecho el ingenio Ekat —respondió Amy, señalando hacia la cortina de sombra negra.

—Pensaba que eras más inteligente, jovencita. No me esperaba eso de ti.

—¿Y por qué? —cuestionó Amy—. ¿Se supone que debo sentirme impresionada por los campos de concentración y la bomba atómica?

Bae golpeó su bastón.

—¡Eso es una reacción emocional! Los Ekat no son malos, ni tampoco son buenos. Son inventores. Ellos buscan retos. Son líderes natos. ¿Que se han perdido algunas vidas? Bueno, ésas son pequeñeces insignificantes. Lo que es importante es el descubrimiento. La invención. ¿Lo entiendes?

—Por supuesto —dijo Dan—. Ha llamado a información telefónica. Es usted una persona bastante tenebrosa.

Bae Oh se les acercó y ellos dieron un paso atrás.

—Vosotros también sois Cahill, sabéis que aquello que nos hace extraordinarios, en ocasiones puede hacernos peligrosos. Vuestros ancestros son prueba de ello. Es vuestro trabajo aprender de sus fallos así como de sus triunfos. ¿No es cierto?

Amy no quería escucharlo, aunque lo que decía tenía sentido.

El anciano caminó de nuevo hacia ellos y levantó un brazo amistosamente, pero ellos dieron otro paso atrás. Dan no quería acercarse a aquel malvado anciano ni en broma.

—Venid —dijo él, en un tono de voz que debía de parecerle amable y afectuoso, pero que en realidad era espeluznante—. Somos de la familia. Deberíamos aliarnos. Habéis llegado lejos en la búsqueda de las treinta y nueve pistas, pero todos necesitamos ayuda. ¿Qué os parece un simple intercambio de información? Os diré lo que sé sobre el gran secreto de Sakhet y vosotros me confirmaréis la ubicación de mi sobrino. Sé que os ha cogido cariño.

—Usted primero —respondió Dan.

Bae inclinó la cabeza.

—Con mucho gusto. Yo me fiaré de vosotros y vosotros también os fiaréis de mí, estoy seguro. —Señaló con su bastón a la primera Sakhet—. Esto es lo que los Ekat sabemos con certeza. Nuestro glorioso ancestro Katherine, la reina del ingenio, se fue de Europa y vino a Egipto. ¿Os imagináis el valor que tuvo esa mujer para viajar sola a principios del siglo dieciséis? Sabemos que vino a El Cairo y que compró tres pequeñas estatuas de Sakhet. Una tenía rubíes; otra, lapislázuli, y la tercera, esmeraldas. Después se disfrazó de hombre y abandonó la ciudad. Sabemos que se encontró con una familia de ladrones de tumbas y los contrató para que la llevasen de viaje por el Nilo. Escondió cada una de las Sakhet, que a su vez, escondían sendos secretos.

Bae observó la estatua.

—Es preciosa, ¿verdad? No fue casualidad que Katherine escogiese una diosa. Ella creía que nunca se la había tratado como merecía por ser mujer. Y tenía razón —dijo el anciano entre suspiros—. No sabemos cómo se las arreglaron las otras ramas para averiguar las pistas de Katherine. Lo que sí sabemos es que han dedicado siglos a la investigación. Ese Lucian enano, Napoleón, ordenó a todos sus estudiosos que buscasen detenidamente estatuas de Sakhet. Algunos piensan que decidió invadir el país para encontrarla. Napoleón no era conocido por su intelecto —añadió el anciano, resoplando por la nariz—. Había otro Lucian en la expedición que, en realidad, era quien hacía todo el trabajo. Se llamaba Bernardino Drovetti y fue el que identificó la Sakhet. Se encontraba en la colección privada de Napoleón. Los Ekat llevaron a cabo varios intentos de robo para recuperarla. Fue entonces cuando Drovetti pensó que estaría más segura si la enviaba como parte de la colección que donó al museo del Louvre.

Amy tenía miedo de mirar a Dan. Bernardino Drovetti... tal vez él fuese el «B. D.» que había escrito la carta que encontraron en la casa Sennari.

«La pista está ahora de camino al palacio de L. en París...»

—Afortunadamente, uno de nuestros Ekat era un arqueólogo contratado por el Louvre. Clasificó la estatua como falsa y se las arregló para sacarla del museo. Nos la trajo de nuevo a escondidas para su estudio. ¡Ja! ¡En las narices de Drovetti! Así, encontramos la primera pieza del puzle.

«Pero quizá hubiese otra Sakhet —pensó Amy—. Una de la que no sabes nada, ya que Drovetti la envió a un palacio.»

Bae se encaminó hacia la segunda Sakhet. Amy y Dan se vieron obligados a caminar con él, si no se habrían quedado ahí de pie, cerca de él.

—La búsqueda de las Sakhet siguió adelante. Hubo rumores sobre ellas y muchos Cahill vinieron a Egipto con la esperanza de encontrar una. El gran explorador Richard Francis Burton, Winston Churchill, el egiptólogo Flinders Petrie, Mark Twain... ninguno de ellos era Ekat. Nosotros preferimos trabajar en el anonimato.

—¿Mark Twain? —preguntó Dan.

—Era un Janus —respondió Bae—. Los descendientes de Jane son unos presumidos. No encontramos la segunda Sakhet hasta que Howard Carter se unió a la búsqueda, tumba tras tumba y excavación tras excavación. Competía con Flinders Petrie.

—El otro gran arqueólogo —dijo Amy—. ¿Un Lucian? —supuso ella.

Bae asintió.

—Obviamente, ganó el Ekat. La encontró Carter y aquí está, con ojos de esmeralda. Sólo había un problema. La estatua es sólida. No hemos encontrado nada en ella. Es idéntica a las otras, pero no esconde ningún secreto. Tenemos la certeza absoluta. Entonces, ¿cuál es la respuesta? ¿Que hay otra Sakhet? Tiene que haberla. Yo mismo, desde que era un muchacho, no he dejado de investigar. Visité todas las tiendas de El Cairo, vi los catálogos de todas las subastas, me reuní con todos los contrabandistas del mercado negro... Y un día encontré la tercera

Sakhet. —Bae miró la estatua respetuosamente—. De ojos azules y llena de tesoros.

Bae se apoyó fuertemente en su bastón, viéndose de repente más viejo y derrotado.

—Aún no hemos sido capaces de resolver el código. Hemos fallado en el momento más crucial. Hemos creado varios programas informáticos de modelismo y escritura para resolver el misterio. Aún quedan cientos de tumbas que no han sido descubiertas y cualquiera de ellas podría ser la nuestra. O quizá sea que hemos malinterpretado la pista de Katherine. Quizá ella tuviera una cuarta Sakhet por seguridad. Es imposible saberlo.

Caminó vacilantemente hacia ellos, con ojos suplicantes.

—Soy el director de los Ekat —dijo con una voz ronca. Parecía estar quedándose sin aliento—. Mi sucesor es Alistair. Si él tiene una de las Sakhet, le darán la bienvenida y lo honrarán, y yo podré retirarme con un buen sabor de boca. Pero hemos tenido nuestras diferencias y es demasiado orgulloso como para dejar que lo ayude. Aun así, he de hacerlo por su propio bien y por el de los Ekat. ¿Me entendéis? —El rostro de Bae se suavizó y el anciano caminó de nuevo hacia ellos—. Si estoy haciendo esto es por él. Decidme dónde puedo encontrarlo.

Dan miró a Amy. ¿Realmente se lo estaba creyendo? Su mirada era tranquila. Le tiró del brazo para llamar su atención y entonces se dio cuenta de que ahora estaban tan cerca del anciano que éste podría alcanzarlos con su bastón.

—Sentimos tener que decirte esto —explicó Dan—, pero Alistair ha muerto.

Bae miró a Dan con dureza y el muchacho le devolvió la mirada sosteniéndola con firmeza.

—Es una pena —añadió finalmente el anciano— que hayas mentido.

De repente, la debilidad se esfumó. Bae se movió con una rapidez increíble. Apuntó con su bastón a la esquina opuesta de la galería y, de una de las joyas incrustadas en él, salió un láser. Entonces oyeron un suave susurro.

Una vitrina del tamaño de una diminuta habitación empezó a bajar del techo. Era ya demasiado tarde cuando se dieron cuenta de que Bae se había desplazado hasta un punto específico de la estancia. Estaban atrapados entre cuatro paredes de plástico irrompible. No había puertas ni ventanas.

—Os quedaréis ahí hasta que decidáis decirme la verdad —añadió Bae—. ¡Una exposición de idiotas para el disfrute de los descendientes de Katherine!

CAPÍTULO 7

Irina Spasky estaba furiosa consigo misma. Se habría encerrado a sí misma en un gulag si hubiera podido. Se merecía un temporal helado con mantas finas y un nabo podrido para cenar. ¿Cómo pudo permitir que dos *amateurs*, dos niños, le diesen esquinazo?

Un solo falafel más y vomitaría hasta la primera papilla. Era imposible encontrar una simple patata cocida en ese país de locos.

Ya había tragado demasiada comida extranjera. Ya estaba demasiado aburrida de su disfraz de turista. Disgustada, se quitó la camiseta de «Mi momia me mima». Debajo, llevaba una camiseta negra lisa de la marca Gap. Era un pequeño secreto que sólo ella sabía: le encantaba esa marca americana. ¡Camisetas de todos los colores! Se sentó en una silla en su habitación de hotel barato y echó un vistazo al caótico tráfico. Presionó su ojo con un dedo, pues le había vuelto el tic. Tenía que pensar.

Había estado a punto de atrapar a esos niños en dos ocasiones, ¡pero los había perdido! ¿Estaría perdiendo facultades?

Quería volver a casa. Había llevado a cabo ciertas operaciones en El Cairo cuando trabajaba para la KGB, pero ella no funcionaba bien en esa ciudad. La gente era demasiado amigable. Si pedías indicaciones sobre cualquier lugar en la calle, te acompañaban y te llevaban hasta allí. Además, hacía mucho calor. La nieve no tardaría en cubrir la estepa rusa, pero en Egipto se superaban los treinta y cinco grados perfectamente. Subió la potencia del ventilador del techo al máximo.

Había dos muchachos más con los que tenía que arreglar cuentas: Ian y Natalie Kabra. Se suponía que iban a trabajar juntos, pero esos dos sabelotodos habían intentado traicionarla en varias ocasiones. Ahora estaban en Kirguistán y no respondían a los teléfonos móviles. Al final no le quedó más remedio que llamar a sus padres, a pesar de que nunca le había gustado hablar con los Kabra. Habían tenido problemas y desconfiaba de ellos aún más que de sus hijos.

Esos dos. Muy brillantes pero también muy estúpidos, igual que sus padres.

Sus padres... Irina movió la cabeza como tratando de eliminar ese recuerdo de su memoria.

Nunca pensaba en las cosas que no podía cambiar, en lo que ya era agua pasada. Aunque, excepcionalmente, esta vez en El Cairo se sorprendió a sí misma pensando en Grace Cahill.

Años atrás, los Lucian habían tenido una reunión importante para discutir el problema Grace Cahill. Sabían que ella había encontrado muchas pistas. Era como si tuviese un don. Incluso los Lucian lo habían admitido. Había que detenerla.

Lo de la alianza había sido idea de Irina. Era tan sólo una artimaña, claro, pero era una forma de aproximarse a Grace y así descubrir cosas. Irina se había ofrecido como intermediaria. Era el queso en una trampa para ratones.

Se había reunido con Grace a solas, cara a cara. La conversación había sido corta. Estaba claro que Grace no había creído ni una sola palabra de Irina.

«Me estás tomando por tonta, pero en realidad la tonta eres tú, Irina —había dicho Grace—. La alianza que me ofreces es un truco que va en contra de la realidad, pues a los Lucian, vuestro instinto os hace pensar que podéis hacerlo todo solos.»

Irina se había marchado furiosa. Nadie llamaba tonta a Irina. Nadie.

En cuanto al problema Grace Cahill, se habían pensado varios planes y descartado otros tantos. Se habían propuesto más. Se establecieron alianzas inestables para atacar un problema común. Todo por el bien de todos. Pero hubo un contratiempo... y el plan que habían acordado salió mal. Horriblemente mal. La hija y el yerno de Grace perdieron la vida en aquel incendio.

Nunca olvidaría el día del funeral. Irina sabía que no pintaba nada allí, pero no pudo evitar presentarse en el lugar. No lo había hecho para regodearse, aunque Grace creyera lo contrario. Su rostro estaba pálido e inexpresivo. La pérdida de su amada hija y su adorado yerno, junto con la tragedia de la orfandad de sus nietos, la habían hecho envejecer años. Se movía como una anciana y sus ojos reflejaban una profunda pena. Le temblaron las manos al lanzar las rosas sobre los ataúdes, que estaban siendo enterrados.

Irina habría querido decir: «Yo también he sufrido un dolor semejante», pero no lo hizo. Habría querido decir: «Caminé por las calles de Moscú como un fantasma. Perdí mi alma y mi corazón». Habría querido decir: «Piensan que el dolor hace ruido, Grace. Creen que llorarás y te afligirás. Pero yo sé que ese dolor es silencioso como la nieve».

«Yo también perdí a un hijo.»

No dijo nada de eso. Sus recuerdos eran sólo suyos. Los había guardado bajo llave. La única secuela que le había quedado de aquella época era un tic en un ojo que se activaba cuando se encontraba bajo un estrés emocional.

Aquel día culpó a Grace por obligarla a recordar, por haber traído sus memorias a la luz. Había sido brusca y fría con ella diciéndole:

—El destino no tiene escrúpulos. Estas cosas pasan.

«Estas cosas pasan», le había dicho a una madre que acababa de perder a una hija. Había oído el eco de sus palabras y su propia frialdad la había asombrado. Quería volver atrás y mostrarle compasión. Quería ser una persona con sangre en las venas.

Pero no lo había hecho. En su lugar, había sentido el desprecio de Grace recorriéndola de arriba abajo, como las constantes olas del helado estrecho de Bering. Inmediatamente después, el desprecio se convirtió en sospecha.

Irina no había conseguido mirar a Grace a los ojos.

Por esa razón la ex espía se sorprendió tanto al ver que había sido invitada al funeral de Grace. Aunque sólo decidió asistir al mismo cuando supo que los otros Cahill también estarían allí.

Estaban todos en una habitación. Todas esas personas que se odiaban entre sí. Y Grace los manejaba a todos como si fueran marionetas.

¿Acaso Grace había puesto una trampa que ella no podía ver? ¿Quién sería el queso? ¿Y quién el ratón?

«¿Cuál es tu plan, Grace? Tú siempre tenías un plan.»

Sus nietos... ¿por qué los habría incluido? Era imposible que pudieran ganar a los otros Cahill en la búsqueda de las pistas. Iban muy atrasados en cuanto a conocimientos y entrenamiento. Ya era demasiado tarde para que se pusiesen al día. Aunque hasta entonces no les había ido tan mal. Eran sólo eso: dos niños solos en el mundo que corrían perdidos y atemorizados...

«Perdidos.»

«Atemorizados.»

«Sé tantas cosas. He visto tantas cosas...»

Sintió el tic de su ojo y se cubrió la cara con la mano, tratando de detener el tembloroso nervio.

Lo pasado, pasado estaba.

Sin embargo, ahora se encontraba en Egipto, y en este país, fuese a donde fuese, hasta el aire parecía susurrarle al oído que el pasado estaba aún muy vivo...

CAPÍTULO 8

Tenía que suceder. Después de todos esos años odiando los museos, se había convertido en una exhibición permanente. Dan apoyó las palmas de sus manos contra las paredes.

—Ayuda —susurró.

—¿Cuánto tiempo más crees que nos dejará aquí? —preguntó Amy.

—Hasta que cantemos —respondió Dan.

—Pero ¿cómo vamos a cantar si no sabemos nada?

—Sé que tengo hambre —dijo Dan—. Si Oh me ofreciese una pizza, seguro que se me ocurría algo.

—Nella se preguntará dónde estamos —añadió Amy.

—Nunca nos encontrará.

—Irá a la recepción y quizá ellos llamen a la policía...

—¿No lo entiendes? El hotel es suyo, así que dudo que vayan a hacer algo.

—Pues no puede dejarnos así, aquí —dijo angustiada la muchacha con voz temblorosa y tragando saliva. Había estado en situaciones peores, se dijo a sí misma. Aun así, no sabía por qué, pero ese cubo de plástico la aterrorizaba. Era como si fuese un objeto en exposición y no una persona. Inspiró profundamente.

—¿Cuánto aire hay en esta cosa?

—No lo sé —contestó Dan—. Tal vez... sea mejor que no hablemos.

Ahora había asustado a su hermano. La idea de perder la respiración le imponía mucho respeto. Amy se incorporó. No iba a perder los papeles. Ya lo había hecho demasiadas veces delante de Dan y no tenía intenciones de volver a hacerlo. Nunca más.

—Estoy segura de que hay suficiente.

«Pero ¿por cuánto tiempo?»

Ese pensamiento estaba cada vez más presente en su cabeza y ella luchaba contra él. Sintió que estaba venciendo el pánico y entonces supo que podía hacerlo. El truco para ser valiente era no pensar en lo peor que podría suceder. Era extraño... si fingías ser valiente, casi te sentías valiente también.

Sólo necesitaba práctica y ella iba a dar lo mejor de sí misma.

—¡¿Niños?! —gritó Nella desde la habitación—. ¡Más os vale que haya comida ahí fuera esperándome!

No hubo respuesta.

—¿Chicos? —volvió a llamar anudándose el cinturón del albornoz—. ¿Enanos? —Ellos odiaban que los llamase así, sin embargo no se oyó ninguna queja o reproche en la otra habitación.

Nella abrió la puerta. El cuarto estaba vacío. En el suelo y al lado del paraguas roto estaba uno de los albornoces. Los niños se habían fugado.

Bueno, tampoco podía culparlos, estaban en un hotel de cinco estrellas y era normal que quisieran explorar. Nella se desplomó en el sofá y examinó de arriba abajo el menú del servicio de habitaciones.

Veinte minutos más tarde, ya había devorado la mayor parte del delicioso surtido de pequeños platos llamado *meze*. Pero a pesar de estar saboreando los últimos bocados de *sabanikhiyat*, no pudo evitar que tanta preocupación le impidiese disfrutar de su comida.

Algo no iba bien. Tardó demasiado tiempo en darse cuenta. Las alarmas deberían haber empezado a sonar hacía ya rato. Se había descuidado. Podría haber sido por el hambre, o quizá por el desfase horario, pero aun así no tenía excusa. «Como no pongas tu cerebro en marcha, no te va a ir demasiado bien, Nella. ¡Espabila!»

Le habían enseñado a no mostrar pánico y así lo había aprendido. Se levantó de un salto y comenzó a inspeccionar la habitación. Vio el albornoz tirado en el suelo al lado de la puerta. Al principio asumió que Dan lo había dejado ahí tirado, como solía hacer siempre, pero cuando lo vio más detenidamente se dio cuenta de que no era así, pues la posición del albornoz indicaba que el que lo llevaba puesto se lo había quitado de repente y que, además, estaba mirando hacia la puerta de conexión.

Nella echó a correr hacia allí y examinó cada centímetro de la puerta. Echó un vistazo al paraguas del suelo y entonces lo entendió todo.

Cuando ella los encontró, ellos aún no se habían percatado de su presencia. Se le encogió el corazón al verlos ahí. Aun así, el mero hecho de que estuviesen sanos ya la hizo sentirse mejor. Pero ¿cómo se las iba a arreglar para sacarlos de ahí?

Respiró hondo y se tranquilizó. No podía dejarse dominar por el pánico.

Amy oyó el sonido de unas chanclas y se volvió. El terror de sus ojos se convirtió en alivio.

—¡Nella!

Pudo oírla perfectamente. El cubo debía de estar preparado para permitir comunicación con el exterior.

Nella dio un mordisco a su pan de pita.

—¿Qué lugar es éste? —preguntó.

—Nella, ¿no te has dado cuenta? —protestó Dan—. ¡Estamos atrapados en un cubo!

El muchacho trataba de actuar con tranquilidad, pero ella se dio cuenta de que se estaba quedando sin aliento. La niñera había guardado el inhalador en su bolsillo por si él lo necesitaba, aunque sería mejor que no le hiciese falta.

Nella dio otro mordisco. Con la boca llena de comida, la muchacha estudiaba la situación con curiosidad. *Saladin* apareció detrás de ella y se frotó contra sus tobillos.

—Vosotros dos sois la peor pesadilla de una canguro. Ésta es una interesante manera de teneros a la vista. Me gusta, es un nuevo método.

—¡Nella! —gritaron los dos.

—¡Podría volver en cualquier momento! —exclamó Dan.

—¿Quién?

—¡Bae Oh! Él es quien nos ha encerrado aquí.

—¿Ese anciano del que me habíais hablado? ¿Y cómo lo ha conseguido? ¿Os ha puesto esposas o algo?

—¡Nella!

La joven dio una vuelta alrededor del cubo y golpeó el plástico con una uña.

—¿Tenéis alguna sugerencia?

—Mira ahí arriba al fondo, en la esquina de la izquierda —respondió Amy—. El circuito se activa allí.

—Él apuntó hacia allí con un láser —añadió Dan.

Nella palpó los bolsillos de su albornoz.

—Vaya... parece que me dejé el puntero láser entre los papeles de la universidad, con mis presentaciones.

—¡Nella!

La muchacha fue directamente a la esquina y echó un vistazo arriba.

—Ya lo veo —dijo ella. Cogió un trozo de su pan de pita y se lo dio a *Saladin*—. Le encanta el humus, ¿lo sabíais?

—Bueno, él es un gato egipcio —dijo Dan—. Ésta es la comida de su tierra.

—¡No es momento de darle de comer al gato! —exclamó Amy.

Saladin se relamió los labios y continuó frotándose contra las piernas de Nella pidiéndole más.

Nella cogió otro poco de humus, volvió a mirar hacia la esquina, apuntó y tiró la comida al techo. Una de sus muchas cualidades, además de hacer los mejores bocadillos de queso fundido del planeta, era su perfecta puntería. *Saladin* no quitó ojo del bocado volador.

—¡Vamos, gatito! ¡Ve a buscarlo! —lo animó ella.

El minino se subió a una vitrina, se preparó para saltar y salió volando hasta caer sobre la estructura donde se encontraba el sistema de iluminación. Con aires de indiferencia y casi pisando el extremo del haz de luz, dio un largo salto hasta caer encima del circuito. Entonces, comenzó a lamer el activador.

El cubo se tambaleó un poco y, lentamente, comenzó a levantarse.

—¡Salid de ahí! —gritó Nella—. ¡En cuanto acabe el humus volverá y el láser se reactivará!

Amy empujó a Dan hacia la abertura y después rodó por el suelo para salir ella. Acababa de sacar el pie cuando *Saladin*, perezosamente, saltó abajo y el cubo cayó estrepitosamente en el suelo.

—Las lenguas de los gatos son asombrosas —afirmó Nella llena de satisfacción.

Amy se levantó y se sacudió las rodillas.

—¿Cómo has sabido donde estábamos?

—He tardado un rato —admitió ella—, pero he visto el albornoz del renacuajo en el suelo, y ha sido la pista definitiva.

—Oye, tú —dijo Dan furioso—. ¿Cómo que renacuajo?

—La verdad es que antes habría pensado que abrir una puerta con un paraguas es algo... raro. Pero hace una temporada que me relaciono con vosotros, entonces he pensado: «¿Y por qué no?».

—Bae puede volver en cualquier momento —recordó Dan—. Creo que será mejor que nos larguemos de aquí y busquemos otro hotel.

—Bae es el dueño del hotel, ¿o ya te has olvidado? —añadió Amy—. ¿Cómo vamos a salir de aquí sin que nos vean?

—Simple biología —respondió Dan, echando un vistazo al albornoz de Nella—. Coloración protectora.

Bae Oh asintió educadamente con los ojos clavados en el Hombre de Negro.

—No había necesidad de venir hasta aquí —dijo—. La situación está bajo control.

—¿Has localizado a tu sobrino?

—Su paradero está casi determinado —respondió Bae. Una velada en la fortaleza Ekat sería suficiente para obtener la información. Los nietos de Grace Cahill eran *amateurs*, así que acabarían desmoronándose.

—Hay demasiados factores fuera de control —anunció el Hombre de Negro, pero Bae dejó de escuchar, pues había oído el maullido de un gato. En el hotel Excelsior no se permitían mascotas.

Escondido tras sus gafas de sol, podía fingir que escuchaba a su colega mientras echaba un vistazo por encima de su hombro. Una familia de turistas con albornoces blancos se dirigía a la piscina. Llevaban gorros de la tienda de recuerdos, eso era bueno. Los beneficios de ese establecimiento le habían pagado las vacaciones en Maui el año anterior. Llevaban unos bolsones de lona bastante grandes. Los turistas siempre traían demasiadas cosas.

Un carrito de servicio de habitaciones pasó al lado del grupo.

—¡Miaurrrrp!

Era el maullido más extraño que había oído en su vida. A menos que tuviesen en su poder una bolsa llena de ratones.

El miembro más pequeño del grupo se agachó y, con la cabeza metida en el bolsón, pronunció unas palabras.

Entonces Bae se fijó en el calzado: zapatillas deportivas de color negro.

Los niños Cahill. «¿Cómo habrán salido?»

A Bae no le gustaba dar demasiada importancia a las cosas, ni siquiera cuando estaba agitado. Vio a algunos vigilantes de seguridad del hotel que doblaban la esquina. Llevaban pantalones y camisetas blancas, igual que los camareros. Para los demás era imposible adivinar su verdadera función, a menos que se fijaran en los grandes músculos que cubría el uniforme o en los auriculares que llevaban puestos.

Todo lo que Bae tenía que hacer era levantar un dedo e inclinar la cabeza hacia el grupo. El Hombre de Negro aún seguía hablando. No se había dado cuenta de nada. A Bae no le interesaba lo más mínimo que el Hombre de Negro supiese que los niños Cahill estaban intentando escaparse de su hotel.

Los guardias de seguridad caminaron hacia el grupo; llevaban un paso ligero pero tranquilo. Las cosas habrían salido perfectamente si no fuese porque la muchacha más joven llevaba los ojos bien abiertos vigilando que nadie los persiguiese. Cuando vio al trío de guardias, éstos aún no se habían acercado demasiado. A una rápida señal, los tres fugitivos echaron a correr.

No se oyó ningún ruido. Nadie gritaba ni alborotaba. El Hombre de Negro siguió hablando. Bae vio cómo el grupo se dirigía hacia la parte trasera del hotel. Se detuvieron un instante para recuperar un petate que había tras un arbusto.

Cargando con el equipaje y, con el gato enfadado dentro de una bolsa, echaron a correr. El grupo de guardias estaba a pocos metros cuando los perseguidos bordearon la esquina del edificio.

Bae contuvo un bostezo. No necesitaba ver el final de esa insignificante persecución. Su equipo de seguridad era el mejor de El Cairo. Los atraparían sin problemas y se los traerían relajadamente para que los huéspedes no notasen nada. Los llevarían a su oficina y se encargarían de que no saliesen de allí. No había prisa. Era mejor dejarlos sufrir.

—Le aseguro que tengo todo bajo control —volvió a decirle.

Resbalando en la gravilla del suelo, los tres fugitivos desaparecieron velozmente detrás de la esquina del hotel. Nella trataba de sujetar a *Saladin*, mientras al mismo tiempo cargaba con su bolsa de viaje. A Amy la mochila le golpeaba la espalda y a Dan se le desataron los cordones de una zapatilla. Se arriesgó a mirar atrás y comprobó que los guardias estaban cada vez más cerca.

—No lo conseguiremos —dijo resoplando.

De repente, un coche salió disparado de una de las plazas de aparcamiento y se detuvo derrapando delante de ellos, bloqueándoles el camino.

Una diminuta mujer de cabello blanco sacó la cabeza por la ventanilla. Llevaba pantalones y una enorme túnica blanca decorada con bordados.

—¿Os llevo?

Ellos tenían sus dudas.

—Será mejor que empiece por el principio. Voy a presentarme. Me llamo Hilary Vale y Grace me ha dejado un mensaje para vosotros. Oh, qué albornoces más bonitos.

Detrás de ellos se oyeron unos fuertes pasos.

—¡Deteneos ahí! —gritó uno de los guardias.

Hilary echó una mano hacia atrás y abrió la puerta trasera.

—Creo que no hay tiempo para pensárselo, gorrioncillos. ¡Adentro!

CAPÍTULO 9

Hilary Vale conducía a través del tráfico de El Cairo con un pie en el acelerador y una mano en el claxon. Aceleraba, frenaba y daba volantazos tratando de aprovechar los diminutos espacios a los que podía acceder esquivando a los otros coches.

—¡Sal de ahí, muñeco! —gritaba alegremente por la ventana a cualquiera que se atreviese a cruzarse en su camino.

Los ojos de Dan brillaban.

—Esta mujer es increíble —susurró a su hermana.

Finalmente, salió de la calle principal y entró en una zona preciosa. De repente, se detuvo delante de un frondoso jardín lleno de palmeras y árboles en flor y, con un giro brusco, aparcó el coche enfrente de una elegante casita blanca.

Cuando salieron del vehículo se encontraban un poco mareados por el veloz viaje y la afortunada huida. La casa estaba fresca y tranquila en comparación con el calor y el bullicio de las calles. Hilary los dirigió inmediatamente a una pequeña sala de estar. Estaba decorada con alfombras y los mullidos sofás tenían un estampado floreado. En la esquina había un piano y, sobre las mesas, lámparas chinas. Los jarrones estaban rebosantes de flores.

Hilary abrió las contraventanas. Cuando el sol entró en la

estancia, Amy pudo ver que los cojines del sofá estaban deshilachados y que una de las mesas se había colocado para esconder un agujero en la alfombra. A pesar de que todo estaba algo gastado, la habitación parecía cómoda. Un buen lugar para dejarse caer y leer durante horas. Su timidez se atenuó un poco por el mero hecho de estar en ese cuarto.

—Bien, quitaos vuestros... eh, albornoces y poneos cómodos —dijo Hilary—. Me imagino que habéis olvidado pagarlos. ¿Es ése el motivo por el que os perseguían esos hombres tan fornidos? Oh, pobrecillos.

—Eso mismo —respondió Dan—. No sabíamos que robar albornoces podía ser tan serio en este país.

La mujer sujetó delicadamente la barbilla de Amy con sus dedos y movió la cabeza de la joven hacia la luz.

—Te pareces a Grace —opinó Hilary—. ¡Qué monada de niña!

—Eh, mirad esto —dijo Dan.

Amy vio que Dan estaba observando una fotografía en un marco de plata que había encima del piano. La muchacha se acercó. Era una imagen en blanco y negro en la que había dos mujeres jóvenes enfrente de la Esfinge.

Reconoció a Grace inmediatamente. El cabello, moreno y ondulado, le cubría los hombros. Llevaba un vestido blanco y zapatos de salón. Con su esbelto y bronceado brazo rodeaba a una pequeña niña rubia que estaba a su lado.

—Grace era mi mejor amiga —explicó Hilary Vale, sujetando delicadamente la fotografía—. Nos conocimos en el internado, en Estados Unidos. Me enviaron allí cuando empezó la Segunda Guerra Mundial. Mis padres se quedaron en El Cairo. Grace fue mi única familia durante muchos años, cuando era tan difícil comunicarse por culpa de la guerra. Ella me aceptó, a pesar de ser más joven y tener un acento extraño. Después de la guerra, la invité a pasar unos días aquí durante las vacaciones. Le encantó Egipto. —La tristeza desapareció de su rostro de repente, cuando dio un par de palmadas—. ¡Pero ahora necesitaréis un refrigerio! Niños, estáis en vuestra casa, acomodaos. Yo vendré en un momento.

—¿Qué es un refrigerio? —susurró Dan—. ¿Un ventilador?

—Es comida —respondió Nella—. Eso es siempre bienvenido. —Puso en el suelo el transportín de *Saladin* y se tiró en el floreado sillón—. ¿Vuestra abuela habló alguna vez de ella?

—No me acuerdo —dijo Amy—. Sabía que había venido a Egipto, pero no hablaba demasiado sobre el tema. —En realidad hablaba y no hablaba. Era todo tan impreciso...

«El Cairo es una ciudad fascinante.»

«¿Has estado ahí alguna vez, Grace?»

«Por supuesto, cariño. Muchas veces. Oh, mira cómo llueve. ¡Qué frío! ¿Hacemos magdalenas para levantarnos el ánimo?»

Desviación y disimulo. Ahora Amy se daba cuenta de la cantidad de veces que Grace había cambiado de tema cuando le preguntaba por sus viajes. La desconfianza le recorrió el cuerpo, desequilibrando sus ideas nuevamente.

En las estanterías que iban del techo al suelo había más fotografías. Amy cogió una que estaba en un marco de plata. Había unas letras escritas en blanco sobre la imagen: «Nosotras en Luxor, 1952». Grace vestía unos pantalones que se veían algo polvorientos y una camiseta de un color pálido que llevaba remangada. Tenía el ceño fruncido, pues le daba el sol en la cara. Hilary Vale llevaba un vestido de flores y un gorro de ala ancha. Parecía que estaban delante de una especie de templo. Grace bromeaba posando al estilo egipcio, con la muñeca doblada y la mano estirada.

En ese momento, Hilary entró en la habitación con una bandeja enorme que apoyó en una mesa redonda y brillante situada al lado de la ventana. Nella se apresuró a ayudarle a colocar en el centro de la mesa los platos con pasteles y fruta en rodajas que había llevado.

—Veo que estás echando un vistazo a las fotografías —dijo Hilary—. Es difícil creer que antes era tan joven, ¿verdad? Grace vino a visitarme todos los años durante mucho tiempo.

—¿Todos los años? —preguntó Amy.

—Bueno, se saltó alguno que otro. Claro que al final de su vida ya le era muy complicado viajar. Me habló del cáncer... fue muy franca conmigo. Aun así me sorprendí mucho cuando me enteré. Nunca creí que hubiera algo capaz de derrotar a Grace.

Hilary señaló las sillas y todos fueron a sentarse. Amy pasó la mano por la brillante madera de los brazos de su asiento. Tal vez Grace se hubiese sentado ahí. Deseaba poder sentirse más cerca de su abuela con sólo pensar en ella. Pero no podía.

Hilary sirvió un líquido lechoso de una jarra de plata.

—Esto se llama *sahlab* —explicó ella—. Lo sirven en todos los cafés de Egipto. Espero que os guste.

Amy bebió un sorbo por educación. Era cremoso y dulce, no se parecía a nada que ella conociese, pero le costaba trabajo tragar. Tenía un nudo en la garganta del que manarían infinitas lágrimas si volvía a mencionar el nombre de Grace.

—Esta comida está buenísima —dijo Nella deshaciendo una galleta y dándosela a *Saladin*—. Así que Grace se puso en contacto contigo antes de morir. ¿Qué te contó?

Amy miró agradecida a Nella. La niñera sabía que la muchacha era tímida, así que había decidido echarle una mano para entablar conversación. Siempre podía contar con Nella. Dan estaba demasiado ocupado tragándose el pastel de limón como para darse cuenta.

Hilary sonrió y se levantó.

—Así es. Vamos a ir al grano, como se suele decir. Grace me envió una carta y me pidió que os entregase algunas cosas. —Se acercó hasta un pequeño armario y lo abrió. De allí sacó varios objetos que, una vez sentada en su silla, se colocó en el regazo. Amy sintió la necesidad de cogerlos todos y escapar para poder mirarlos en privado; sin embargo, se obligó a beber otro sorbo y a quedarse quietecita en su asiento.

Hilary puso un libro en la mesa.

—Para empezar, ésta es la guía de Egipto que Grace utilizó durante muchos años. Quería que la tuvieseis vosotros. —Con un empujoncito, la acercó a Amy.

Era un libro grueso, con la cubierta doblada y sucia. Las páginas estaban manoseadas.

—Claro que no está actualizada —dijo Hilary sonriendo—, pero las cosas no suelen cambiar demasiado por aquí.

Amy abrió el libro y vio algunas notas en los márgenes con la letra pomposa de Grace.

«Aquí comimos muy bien. Viaje de 1972.»

Bueno, eso no ayudaba demasiado.

—Ésta es su última postal de Navidad —explicó Hilary—. Hay un mensaje en ella para vosotros.

Se la entregó a Amy. Dan arrastró la silla hacia ella para poder verla.

La tarjeta era del Museo de Bellas Artes de Boston. Grace los había llevado allí muchas veces. Era la reproducción de un viejo cuadro de los Reyes Magos de camino al portal de Belén.

Querida Hilary:

Escribo para desearos una feliz Navidad a ti y a los tuyos. Mis nietos, según mis cálculos, llegarán pronto a El Cairo. Es hora de que cumplas la promesa que me hiciste hace tantísimo tiempo.

Por favor, asegúrate de que mis queridos Dan y Amy reciben el siguiente mensaje:

Tesoros:

Egipto está lleno de cosas maravillosas.

Bienvenidos, espero que seáis felices aquí.

Es un país que todavía resina en mí, incluso en mis sueños. Si hubiese sido la grandiosa abuela que os merecíais, o al menos la mitad, os habría traído aquí yo misma. Desearía poder estar ahí con vosotros mientras seguís mis pasos en ese precioso lugar. ¡No os olvidéis del arte! Siempre podéis acabar con lo básico.

Con todo mi cariño,

Grace.

P.D.: ¡la señora Fenwick manda un abrazo a S!

Amy y Dan miraron la postal. La mano de Grace había cogido la pluma y había hecho esas líneas y círculos. Había usado una estilográfica, tal como siempre hacía con las notas importantes. Había una mancha de tinta al final de la letra «g» en la palabra «grandiosa». Ellos sabían que su abuela estaba enferma el día que la escribió, pero aun así, la letra era clara y pulcra. Ella era consciente de que ya estaría muerta cuando sus nietos leyesen la carta.

Incluso el error en la palabra «resuena» hizo que Amy se sintiese aturdida, como si su abuela estuviese en la habitación de al lado, escribiendo postales de Navidad y diciendo: «Tráeme un poco de turrón, ¿sí, cariño? ¡A ver si así despierta mi espíritu navideño!».

Les había dejado un mensaje. Después de todas esas semanas de dudas, ahí estaba. Sin embargo, ¿qué era exactamente? Era algo personal, pues ella siempre los había llamado «tesoros», pero al mismo tiempo también era impersonal. Ella parecía muy alegre, tratando de animarlos para que saliesen a conocer Egipto; como si el único motivo por el que estaban allí fuese el turismo.

Amy miró a Dan. Sabía que la expresión de la cara de su hermano reflejaba exactamente lo mismo que la suya: confusión y dolor. ¿Qué tipo de mensaje final era ése?

Dan cogió el sobre.

—El sello es de Nantucket —dijo—, del año pasado.

Amy y Dan intercambiaron una mirada. En esa mirada, los dos abandonaron la habitación, el calor, esa extraña ciudad y fueron a un lugar que conocían muy bien. Grace tenía una casita en el pueblo de Sconset en la isla de Nantucket, en la costa de Massachusetts. Recordaron los cielos azules, las nubes de algodón y el aire, que sabía a sal. Grace solía asar mazorcas de maíz y hacer mantequilla de lima. También se acordaron de cuando su abuela gritaba: «El último es una boa constrictor», y del aguijón del frío océano.

—¿Te acuerdas de la vieja Fenwick? —preguntó Dan.

Amy sonrió. Betsy Fenwick era su vecina. La muchacha se había olvidado de quién de los dos le había puesto ese apodo. Betsy procedía de «una de las más antiguas familias de Beacon Hill», en Boston, y siempre se las arreglaba para decir su frasecita en todas las conversaciones. Desaprobaba algunas costumbres de Grace, como dejar que las rosas crecieran de forma salvaje o trabajar en el jardín con ropa vieja y una gorra de los Yankees.

A la señora Fenwick no le gustaban los gatos, pero a *Saladin* le guardaba un odio particular, pues, por alguna razón, el animal había escogido el vetusto jardín Fenwick como baño particular. Grace decía que no entendía cuál era el problema, ya que, al fin y al cabo, Betsy se ahorraba bastante dinero en fertilizantes. Claro que Grace sólo bromeaba; sin embargo, la señora Fenwick no le veía la gracia. Prohibió que *Saladin* entrase en su jardín e insistió en que Grace le colgase un cascabel. Al gato no le gustó nada la campanilla, pues creía que estaba por encima de todo eso. Era como si dijese: «¿Soy un gato o un timbre?».

La sonrisa de Amy se desvaneció. Recordar Nantucket la hizo sentirse aún más confusa. ¡Tenían tanto tiempo! Y lo dedicaban todo a disfrutar del verano. Todas aquellas largas tardes... y los anocheceres, viendo el sol fundirse en el océano... Todas aquellas oportunidades en las que su abuela había tenido de decirles: «Por cierto, tenéis ciertos derechos de nacimiento. ¡Ah! Y también algunas responsabilidades. Voy a poneros al día».

—«Acabar con lo básico» —leyó Nella—. ¿Qué quiere decir eso?

—Cuando nos llevaba de viaje, nunca nos dejaba leer antes la guía turística —explicó Dan—. Teníamos que ver las cosas primero y después ya podíamos leer lo que decían los demás sobre el lugar.

Hilary cogió una pequeña caja que tenía en su regazo y dijo:

—Y ahora mi promesa. Esto ha estado depositado en una caja fuerte de El Cairo durante cincuenta años. Grace me dio una de las llaves; ella tenía la otra. Su abogado la trajo ayer. ¿Un tal señor McIntyre?

—¿El señor McIntyre está en El Cairo? —preguntó Amy.

—Un hombre adorable, pero un poco rígido. Fuimos al banco juntos y abrimos la caja fuerte. Lo único que había en su interior era esta urna. Él me dijo que vosotros no tardaríais en llegar y que yo debía abrirla en vuestra presencia. ¿Veis el sello? Tengo que demostraros que está intacto. Ahora ya podemos proceder.

Hilary rompió el sello. La tapa se agrietó cuando abrió la caja. Había un pequeño objeto envuelto en un paño de lino.

—¿Puedo?

Amy y Dan asintieron. Hilary cogió la pieza y la desenvolvió delicadamente.

Unos ojos de esmeralda, antiguos y sabios, se clavaron en los presentes. Era la estatua de oro de Sakhet.

CAPÍTULO 10

Hilary se quedó sin aliento.

—¡Vaya! Si esto es auténtico, valdrá una fortuna. Muy astuta, Grace.

«No sabes tú cuánto», pensó Amy.

La única diferencia era que esa estatua estaba colocada sobre un precioso pedestal de oro. Amy miró fijamente a la diosa. El tiempo había pasado por ella, pero seguía siendo femenina y fuerte.

—Es genial —dijo Nella.

—Si es falsa, está muy lograda —comentó Hilary vacilante.

—¿Qué es? —preguntó Amy.

—Bueno, durante la primera visita de Grace a El Cairo, la que hicimos juntas en 1949, me pidió un favor. Para un amigo, me dijo que era. Quería saber si yo conocía a alguien que pudiese crear una copia perfecta y, claro, yo sí que conocía a alguien. Grace sabía que mi padre, que era anticuario, había hecho copias de sus más valiosas piezas durante la guerra, por si acaso los alemanes se las robaban. Así que yo le di el nombre de la persona y nunca volví a oír nada más sobre el tema. Entonces esto... bueno, podría ser una copia muy conseguida. Se ve que alguien añadió posteriormente este pedestal tan hortera, por supuesto.

—Por supuesto —dijo Amy ruborizándose. Vaya... ella creía que era bonito. Estaba claro que tenía mucho que aprender sobre la calidad de las estatuas de museo.

Amy intercambió miradas con Dan. Grace había hecho una copia. ¿Había alguna posibilidad de que fuese Grace quien robara la Sakhet original, la que encontró Howard Carter, y la reemplazase por una copia? Bae les había dicho que las estatuas estuvieron escondidas durante la guerra y que tardaron unos cuantos años en reunirlas de nuevo y construir una nueva fortaleza Ekat. Tal vez Grace hubiese aprovechado la confusión para echarle el lazo a una de ellas. ¿Sería ésta la original encontrada por Howard Carter? ¡Ahora entendía por qué no consiguieron encontrar un compartimento secreto ni siquiera con las técnicas más avanzadas!

Volvió a mirar el mensaje que Grace les había enviado.

«Egipto está lleno de cosas maravillosas...»

Amy recordó que, durante su investigación, había leído que cuando Howard Carter encontró la tumba del emperador Tutankamon, él fue el primero en mirar, y cuando le preguntaron qué había visto, él respondió: «Cosas maravillosas». ¿Estaría Grace citando a Carter para darles a entender que la Sakhet que tenían era la del arqueólogo?

Sólo había una manera de descubrirlo. Si había un compartimento secreto en esta Sakhet, entonces sería la verdadera. Amy sintió escalofríos recorriéndole la espalda y empezó a temblar. Katherine Cahill pudo haber sujetado este mismo objeto. Podría haber colocado algo en su interior con sus propias manos.

—Si necesitáis que os confirmen su autenticidad, resulta que hay un experto aquí en casa —dijo Hilary.

—Ése soy yo —dijo Theo Cotter, entrando en la habitación.

Amy, Dan y Nella lo miraron con una expresión de culpabilidad en la cara, pues sabían que lo habían dejado en la estacada en la casa Sennari.

—¿Lo conoces? —dijo Nella boquiabierta.

Hilary sonrió.

—Un poco.

Theo se agachó y la besó.

—Hola, abuela. —Después miró a Amy, a Dan y a Nella—. Oh, aquí están los culpables. Dejadme daros un consejo: los conservadores suelen molestarse cuando la gente lanza cosas por el aire en un museo. La verdad es que tuve que dar alguna que otra explicación.

Fue entonces cuando Theo reparó en la Sakhet y dio un largo y fuerte silbido.

—¿Qué es eso? Así que al final encontrasteis un anticuario de verdad después de separarnos.

—No, Theo —dijo Hilary—. Esta pieza la han encontrado de otra forma. —Dirigió su mirada a los tres jóvenes—. He de confesaros algo: Theo vino a casa el otro día y me habló de vuestro encuentro en el Khan. Me dijo vuestros nombres.

—Pero ¿y lo del hotel? ¿Cómo supiste dónde estábamos alojándonos? —preguntó Amy.

Theo les mostró un trozo de una tarjeta de embarque con unos garabatos. Era un número de teléfono escrito con la letra de Nella. Habían llamado al número de reserva del hotel justo antes de embarcar en el avión.

—Podéis llamarme Sherlock Holmes, pero no me hagáis llevar un sombrero como el suyo.

Cogió la estatua y pasó los dedos por encima de ella. Después susurró:

—Sakhet, la diosa más poderosa de todas. Diosa del divino castigo y la venganza. La leyenda dice que Ra la envió una vez contra sus enemigos y ella casi destruye la raza humana por completo.

—Vaya... esta diosa es como Rambo —opinó Dan.

Nella parecía impresionada.

—Parece que sabes de lo que hablas.

—Theo es egiptólogo —dijo Hilary orgullosa—. Fue conservador en el Museo Británico.

—¿No me dijiste que eras guía turístico? —preguntó Nella.

—Durante las vacaciones, mientras estudiaba mi carrera en Cambridge —respondió Theo—. Si queréis vender la Sakhet, yo puedo tantearos el terreno y...

—¡No! —gritaron Amy y Dan al unísono.

—Es decir... tiene valor sentimental —añadió rápidamente Amy, mirando a Dan. Como siempre, se comunicaron sin necesidad de abrir la boca. Los dos sabían que necesitaban ayuda. Tenían que confiar en la mejor amiga de Grace. Si su abuela los había dirigido hasta allí, tendría sus razones.

—Creemos que Grace nos ha dejado un mensaje en el interior de esta estatua —añadió Amy—. Estamos buscando una... herencia familiar, y pensamos que es posible que esté aquí.

—¿Y no es la propia estatua la herencia? —preguntó Hilary—. Si Theo cree que es verdadera, debe de ser muy valiosa.

—De un valor inestimable, en realidad —dijo Theo—. Claro que siempre hay personas dispuestas a ponerle un precio a lo inestimable. Normalmente suele ser porque están podridos de dinero.

Amy y Dan vacilaron de nuevo.

—¿Queréis decir que lo que buscáis es aún más valioso? —preguntó Theo.

—Bueno... —respondió Nella—, en realidad el valor lo pone el heredero en el tema de las herencias, ¿no creéis? Mi familia ha ido pasando de generación en generación un horrible jarrón con forma de piña.

Dan cogió la Sakhet. Amy lo miró. Sus ojos se habían iluminado. Un gran egiptólogo como Howard Carter no había sido capaz de descubrir el secreto de la Sakhet, pero ella aún confiaba en el genio loco de once años que era su hermano.

—¿Recuerdas cuando la vieja Fenwick puso aquella valla para que el gato no pasase? —preguntó él—. Aquella que no funcionó, ¿sabes?

—*Saladin* descubrió cómo abrir el pestillo —respondió Amy—. Saltó encima de ella y con una pata tiró del poste y entonces...

—Al mismo tiempo, empujó el cierre con la nariz. Así, no se sabe bien por qué, la puerta se abrió.

—La señora Fenwick nunca supo cómo había entrado.

—Era una combinación de tirar y empujar. Parecen ser fuerzas opuestas, pero en realidad... —Dan empujó la nariz de la estatua con un dedo y tiró del cuello.

—¡No! —gritó Theo horrorizado—. ¡No hagas...!

Theo dio un paso adelante, como si pudiera detener a Dan, pero todos se quedaron boquiabiertos cuando, de repente, la cabeza de la estatua giró ciento ochenta grados y dejó al descubierto una pequeña abertura. Dan miró en su interior.

—Creo que hay algo aquí dentro.

—Déjame ver, por favor. —Theo corrió hacia el escritorio de la esquina de la habitación, cogió una pequeña bolsita y de ella sacó unas pinzas largas.

—¿Puedo?

Vacilante, Dan le entregó la estatua. Theo la colocó sobre la mesa y, con cuidado, introdujo la herramienta. Movió los dedos delicadamente. Despacio y con mucho esmero, retiró el papel enrollado del interior de la estatua.

—¡Un papiro! ¿Es muy antiguo? —preguntó Hilary, con la voz entrecortada por el entusiasmo.

Con el ceño fruncido, Theo colocó el pergamino en el escritorio.

—No es antiguo. Quizá sea del siglo XVI, más o menos. Ésta no es mi especialidad. Tiene una especie de dibujo en la parte trasera y unos escritos en la de delante.

—Tenemos que leer lo que pone. ¿Cómo lo desenrollamos? —preguntó Amy.

—Con mucho cuidado. —Theo sujetó las páginas por los bordes y las desenrolló—. Esto es una locura —susurró—, esta pieza debería ir directamente a un museo. —Aun así, abrió el papiro con la misma impaciencia para leerlo.

Guiza, Asuán, Tebas y El Cairo.
Bajo las milenarias estrellas, esta tierra de reinas
y diosas os ha de guiar y, en ella, cada paso
y peldaño habréis de cuidar.
Milla tras milla, el camino serpenteará,
entonces dos saldrán y os ayudarán.
Una causa terror. Otra sus lágrimas vierte trayendo
verdor. Donde el corazón de su corazón fue encontrado,
sobre el suelo, se eleva el pilar rosado.
A mediodía, sobre el largo brazo protector, la sombra cinco
piedras mostrará, junto a otras diez en el lateral,
donde mi marca, durante largas décadas, permanecerá.

K.C.

—K.C. —susurró Dan a Amy—. ¡Katherine Cahill!

Eso era estupendo. La propia Katherine había dejado un mensaje. Eso quería decir que Grace fue la única que supo de su existencia, y ahora... ellos eran los únicos. Amy agarró fuertemente el brazo de su hermano.

—«... dos os ayudarán. Una causa terror.» —leyó Dan.

—A Sakhet también se la conoce como la Dama del Terror —explicó Theo.

—Echemos un vistazo al dibujo —dijo el joven Cahill dándole la vuelta al delicado papel.

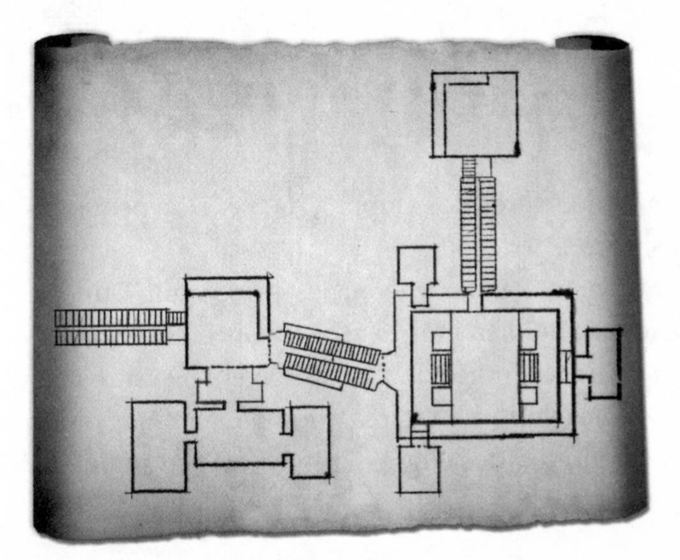

Era un dibujo similar a los que habían visto en la fortaleza Ekat.

—¿Sabes qué es? —preguntó Amy a Theo.

El egiptólogo observó el dibujo detenidamente.

—Diría que es el mapa de una tumba, pero sería necesario investigar para tener la certeza. Hay cientos de tumbas por todo Egipto; de hecho, muchas de ellas aún se están descubriendo ahora.

—Un momento —solicitó Dan cogiendo dos hojas de papel del cuaderno del escritorio. Rápidamente, plasmó en los folios los otros dibujos que habían visto en la fortaleza Ekat, con todo lujo de detalles. Colocó sus dos dibujos al lado del tercero y los miró detenidamente, uno a uno.

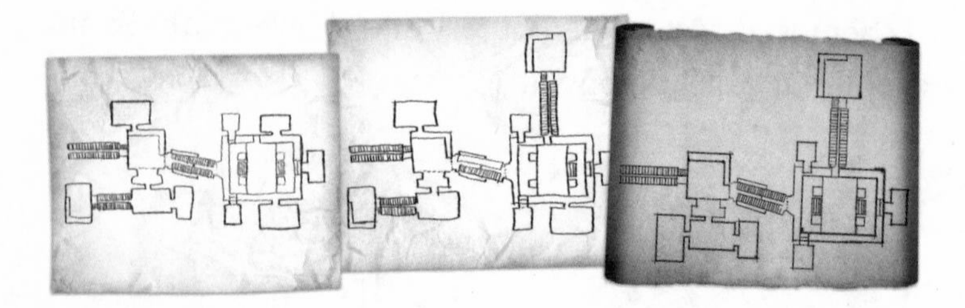

—Son todos parecidos —opinó Theo—. Hay pequeñas diferencias, pero...

—La clave está en las diferencias —respondió Dan.

Cogió otra hoja en blanco y, muy concentrado, comenzó a dibujar de nuevo, mirando constantemente los otros dibujos.

—Hay que examinar los tres y después eliminar todo lo que no sea común a todos ellos. —Entregó a Theo su nuevo boceto—. ¿Lo reconoces?

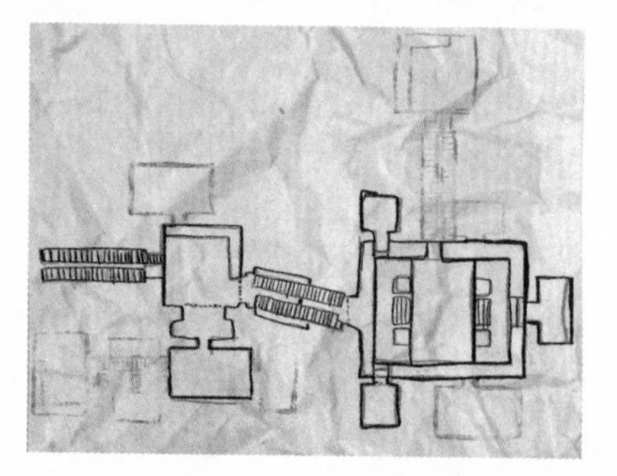

Theo miró detenidamente el mapa durante un largo rato. Después, fue hasta la estantería y sacó un libro llamado *El valle de las reinas*.

Lo abrió en una determinada página.

—Ahí está. Lo que yo pensaba. Éste es el mapa de la tumba de la Reina Nefertari —añadió mirando a los dos jóvenes—. Pero ¿por qué?

CAPÍTULO 11

—¿No se llamaba Nefertiti? —preguntó Amy tratando de cambiar de tema.

Theo movió la cabeza negándolo.

—Son reinas diferentes. Nefertari era la esposa favorita de Ramsés II. Él gobernó Egipto durante sesenta y seis años, en la Dinastía XIX del Imperio Nuevo, desde 1279 hasta 1213 a. C.

Dan suspiró. Fuese a donde fuese, siempre le daban lecciones de historia.

—La tumba de Nefertari no fue descubierta hasta 1904. La encontró el arqueólogo italiano Ernesto Schiaparelli. Estuvo cerrada durante mucho tiempo, unos treinta años, porque las pinturas de las paredes son muy vulnerables. Las paredes son de piedra caliza, y el agua, la humedad y la sal han dañado los relieves. Durante la década de los noventa se realizó un enorme proceso de restauración y ahora se considera la tumba más bonita de Egipto.

—No lo entiendo —dijo Hilary—. Nadie puede llevarse nada de la tumba. ¿Cómo es que tenéis un mapa de ella?

—Es difícil de explicar —respondió Amy—. Es posible que haya un mensaje para nosotros ahí.

—Entiendo —añadió Hilary, aunque en realidad no era verdad—. ¿Es algún tipo de juego?

—Exacto —admitió Amy—. Algo como una búsqueda del tesoro.

—Una familia chalada, ¿eh? —dijo Dan.

—En ese caso, tal vez tengáis un problema —intervino Theo—. Las pinturas son aún tan frágiles que hay acceso limitado a la tumba. Es muy difícil entrar y echar un vistazo. Quizá yo pueda mover algunos hilos...

—¿Por qué no dejáis que Theo os acompañe y sea vuestro guía en Luxor? —sugirió Hilary—. El médico me ha prohibido viajar, manías suyas... yo sólo tengo setenta y nueve años, pero Theo será un guía perfecto. Él ha guiado visitas en Luxor muchas veces. Conoce cada rincón del valle. Dejad que os ayudemos, queridos. Se lo debo a Grace, ya que no pude hacer nada por ella al final de su enfermedad. Dejadme hacer esto; llamaré y reservaré los billetes de avión ahora mismo.

Dan asintió.

—Está bien —respondió Amy.

Hilary miró la Sakhet.

—Tengo una sugerencia, muchachos. Ahora que ya habéis encontrado la nota, quizá queráis ponerla de nuevo en el banco. Es una estatua demasiado valiosa para ir de aquí para allá en vuestro equipaje. Yo me ofrezco para haceros el favor.

Amy cogió la Sakhet, la envolvió en el suave lino, abrió su riñonera y la guardó allí. La estatua cabía perfectamente.

—Muchas gracias de todas formas, pero creo que me la quedaré yo. —Hilary probablemente tendría razón, pero Amy no podía separarse de ninguna manera de la figura que Grace quería que tuviesen, ni siquiera durante un día.

Había dejado tan pocas cosas... El collar de jade y, ahora,

esto. Grace se las había arreglado para enviarles algo. No entendía adónde los estaba guiando ni por qué, pero no estaba dispuesta a dejar pasar la oportunidad.

El sol acababa de salir cuando Hilary llamó suavemente a sus puertas. Desayunaron a toda prisa y ella les dio otro espeluznante paseo en coche hasta el aeropuerto. Se ofreció para cuidar de *Saladin* mientras no estaban.

—No os preocupéis lo más mínimo, muchachos —dijo ella al ver que el gato le bufaba—. Me encantan los felinos. Vamos a llevarnos estupendamente.

Amy sintió que la multitud la presionaba físicamente y que no la dejaba respirar. Eran demasiadas personas empujando por un lado y por otro, tratando de llegar a los mostradores de venta de billetes o a las puertas. Agarró con fuerza la guía de viaje de Grace. Había estado hojeándola la noche anterior antes de irse a dormir. Estaba claro que su abuela había usado ese libro en muchos viajes a Egipto. Amy se dio cuenta porque la tinta de las notas no era siempre la misma, es más, variaba mucho. Hizo una lista de sus viajes en la parte interior de la portada, desde los sesenta hasta los noventa. La mayor parte de las anotaciones eran sobre cafeterías que le gustaban, o los nombres de los conductores que había contratado. Muchos de ellos estaban tachados. Amy se preguntaba por qué Grace no se había comprado otra guía de viaje. De todas formas, no había ningún mensaje en el margen que dijese algo así como «¡Aquí es donde encontraréis la pista de Katherine!».

El color de una de las tintas de las notas de Grace parecía más fresco. Amy había mirado en el interior de la portada, pero ésta no tenía una fecha como las demás. La joven había pasado el dedo tantas veces por el libro que las letras ya estaban borrosas. Había estado buscando notas escritas con ese color particular de tinta. Se había quedado dormida con el libro a su lado, sobre la almohada.

Theo los condujo hasta la puerta. Se quedaron de pie, a un lado, esperando a que los pasajeros del vuelo de Roma desembarcasen.

De repente, se alborotó el ambiente.

—Pues ya ves... Es siempre igual. Tengo que traerme una escolta para salir del avión. Los fans... tienen cierta tendencia a adorar a los Wizard. Ellos transmiten el amor... y a veces puede llegar a ser demasiado real; tú ya me entiendes, ¿no?

Dan gimió.

—Oh... no.

Amy lo empujó detrás de una columna y le hizo gestos desesperados a Nella para que se uniese a ellos. Theo, curioso, los siguió.

Observaron desde detrás de la columna. Jonah Wizard estaba con su padre y con una mujer alta que llevaba uniforme, una empleada del aeropuerto.

—Mira toda esa muchedumbre —dijo el joven artista.

—Ésos son pasajeros que están esperando el próximo vuelo —respondió la mujer.

Pudieron oír el ruido de las cadenas de oro de Jonah cuando se volvió hacia la empleada.

—Genial. Tenemos algo de tiempo de relax, porque en cuanto saque un pie de aquí, esto será un pandemonio total, créeme.

—Un pande... ¿perdone, señor?

—Me pondré en contacto con su superior sobre la falta de

control de multitudes —amenazó el señor Wizard—. ¡Además, aquí no tengo cobertura!

—¿Conocéis a ese joven caballero? —preguntó Theo en voz baja.

—Bueno, yo no utilizaría la palabra *caballero* —respondió Dan—, porque es posible que se lo crea y luego ya será totalmente imposible soportarlo.

—¿Tú no lo conoces? —preguntó Amy—. Es una gran estrella en Estados Unidos.

Al notar la mirada perdida de Theo, Nella añadió:

—¿No conoces «Ponte los pantalones de fiesta»? ¿O «Dale la vuelta a los pies del tiempo»? ¿«Contigo mi música es de lo más»?

—Pero ¿en qué idioma estáis hablando?

—Es lenguaje de calle —respondió Dan—. Aunque aquí no es como allá, y eso todo.

Theo levantó las manos.

—¡Ayuda! ¡¿Algún traductor en la sala?! —gritó.

—Es toda una farsa —dijo Dan simplificando—. Eso es todo lo que necesitas saber.

Amy decidió no comentar que Jonah era también un Cahill, primo de los dos. Al principio fue una gran sorpresa descubrir que estaba emparentada con esa famosa estrella del hip hop. Como parte de la rama Janus de los Cahill, Jonah había aceptado el reto de las treinta y nueve pistas. Por supuesto, para él no había supuesto ningún esfuerzo rechazar el millón de dólares. Seguro que eso es lo que se gastaba él todos los años en propinas.

Jonah se coló en la sala de espera con las gafas de sol puestas y levantó las manos dispuesto a detener cualquier tipo de solicitud de autógrafos, pero no hubo ninguna.

—Envíame a alguien con las maletas. Mi limusina estará esperando en la entrada —ordenó a la empleada.

—Lo siento, señor, tendrá que dirigirse a la zona de recogida de equipajes.

Jonah parecía sorprendido.

—Yo no recojo mi equipaje, guapa. Las maletas vienen a mí.

—Puede llamarme señorita Senadi. Lo siento, señor, si hay algo más...

—¿No sabes quién soy?

A espaldas de Jonah y dirigiéndose a sus compañeros, la empleada puso los ojos en blanco y respondió:

—Francamente, no.

Jonah se quedó perplejo. Se quitó las gafas de sol.

—¡Papá! —protestó.

—No te preocupes ahora, Jonah —dijo su padre con dulzura—. Obviamente, aquí en Egipto no son conscientes de que tú eres un icono global.

—¿Quieres decir... que nadie sabe quién soy?

—No, Jonie. Tranquilízate, anda. Estoy seguro de que...

—¿No saben que soy la bomba?

Una anciana se volvió hacia él.

—¿Alguien ha dicho «bomba»?

La señorita Senadi cogió un *walkie-talkie* y empezó a hablar rápidamente por él.

—Seguridad, seguridad. Tenemos un cinco, uno, cero.

—¡Madre mía! —exclamó Dan—. Parece que acaba de decir algo que no debía, ¿no?

—Será mejor que embarquemos —sugirió Amy—. Tengo la sensación de que Jonah va a pasar un buen rato bajo interrogatorio.

—Seguridad, ¡por fin! Aquí están mis hombres —dijo el joven artista, con los brazos extendidos—. ¡Ya era hora! Bastará con que me rodeéis hasta llegar a la limusina...

—Lo siento, señor —respondió uno de los guardias, sujetándolo por el codo—. Tendrá que venir con nosotros.

—No me toque —ordenó Jonah—. No acepto que se toque la mercancía.

Otro guardia de seguridad sujetó su otro codo y entre los dos lo levantaron en el aire.

—¡Papi!

Amy y Dan dejaron escapar una risita al ver cómo los guardias obligaban a Jonah y a su padre a caminar hacia la sala.

—No veía nada tan divertido desde la vez en que aquel hombre del tiempo se tiró un pedo en medio del programa —dijo Dan con regocijo—. Espero que lo detengan durante al menos un año.

—Disculpe —dijo un joven y educado hombre egipcio que estaba enfrente de Dan—, para usted de un amigo —añadió, entregándole una nota a Dan.

—¿Quién lo envía?

—Me dio treinta dólares de *baksheesh*. ¡Adiós! —respondió el hombre echando a correr antes de que pudieran preguntarle nada más.

Dan abrió la nota. Era un dibujo de una herramienta muy larga.

—¿Qué es esto? —preguntó el joven Cahill—. ¿Un azadón?

—No es ningún utensilio de jardinería —respondió Theo echándole un vistazo—. Es un antiguo instrumento de embalsamamiento egipcio que se utilizaba durante el proceso de momificación. Lo usaban para sacar los cerebros de los cuerpos. Lo introducían por los orificios nasales del cadáver, y lo movían un poco hasta que el cerebro se licuaba y salía por la nariz.

—¡Genial! —exclamó Dan.

—Lo mismo pienso yo. Aunque no conservaban el cerebro, como hacían con el resto de los órganos: los pulmones, el estómago y los intestinos se retiraban del cuerpo y se colocaban en diferentes vasos canopos.

—¡Vaya! —respondió Dan—. Estoy impresionado. ¡Así se hace, gente de la antigüedad!

—¿Un amigo os ha enviado el mensaje? —preguntó Theo—. ¡Qué divertido, ¿no?!

—Sí —respondió Amy—, para morirse de risa.

CAPÍTULO 12

Mientras vagaban por las calles de Luxor, Dan tuvo la sensación de que Egipto era un horno y ellos eran el pavo. Le pareció agradable ver las aguas del Nilo cuando el taxista bajó por aquella pequeña calle hasta llegar al muelle. No se sentía más fresco, pero era mejor que ver arena por todas partes.

—¿Dónde vamos a alojarnos? —le preguntó Amy a Theo mientras recogían sus maletas.

Theo pagó al conductor y, con la barbilla, señaló un pequeño y esbelto velero blanco que flotaba en el agua.

—Allí.

—¡Genial! —exclamó Dan—. ¿En un barco? ¡Estupendo!

—Exacto —dijo Amy—. Y no se queda quieto. —Nunca le habían gustado los barcos, y el hecho de que casi se ahoga cuando la tiraron de uno en Venecia no ayudaba demasiado.

—Estos barcos se llaman *dahabiyyas* —explicó Theo—. ¿Veis esos otros veleros en el río, los que son más pequeños? Ésos se llaman *feluccas*. Un viaje bien hecho por Egipto no puede dejar de incluir un crucero en *felucca* por el Nilo. Mi amigo dice que podemos quedarnos un par de noches en su barco mientras él está en El Cairo.

—Eh, tal vez podamos nadar un rato en el río después de ver la tumba de Nefertarty —sugirió Dan.

—Es Nefertari, y hagas lo que hagas, no nades en el Nilo —aconsejó Theo—. Hay parásitos, gusanos, que podrían hacerte... digamos que podrían hacerte sentir incómodo. Las larvas penetran en la piel y claro, también hay algún cocodrilo que otro.

—Vale, vale, ya me has convencido —respondió Dan.

—Vamos, dejemos las maletas.

La cabina era elegante y reluciente y estaba muy ordenada. Había una habitación para dos personas en la proa y una pequeña sala donde también se podía dormir. Estanterías llenas de libros cubrían los laterales de la cabina. Theo, guiñando un ojo, dijo que él dormiría en la cubierta «por si se acercaba algún cocodrilo».

—Ahora voy a ver si consigo esos pases para la tumba. Es posible que tenga que persuadirlos. Supongo que querréis descansar más tarde, que es cuando hace más calor, así que de momento aún tenéis tiempo para explorar el Valle un poquito. ¿Por dónde os gustaría empezar?

Amy hojeó la guía de Grace. En el avión había visto una marca de color azul claro que su abuela había dejado por algún lado.

—Ella dice que no deberíamos perdernos el Templo de Hatshepsut.

—Estupendo. Los dos lugares están en el mismo margen del río, el de Tebas. —Theo dirigió la mirada hacia Nella—. ¿Te gustaría ver una verdadera oficina de arqueólogo?

—¿En serio? Me encantaría.

Dan puso los ojos en blanco mirando a Amy. No se habían dado cuenta de que la sabelotodo de su niñera era tan capaz de ser una... chica. El simple hecho de verlos compartir una bolsa de cacahuetes en el avión ya le había dado náuseas. Deseaba que Nella volviese a centrarse en su música.

—Bajemos hasta Corniche, en la orilla del río, y allí os buscaré un taxi —sugirió Theo a Amy y a Dan—. Nella y yo os veremos en el templo de Hatshepsut dentro de una hora exactamente. Después ya iremos juntos a la tumba.

—No puedo creer que Theo haya dicho que todavía va a hacer más calor —dijo Amy—. ¿Es posible que haga más calor todavía?

Iba a seguir refunfuñando cuando se dio cuenta de la increíble vista que se erigía ante ella, entre las dunas del desierto. El Templo de Hatshepsut se levantaba al pie de unos enormes acantilados. Estaba construido formando tres hileras y exhibía varias columnas a lo largo de la parte frontal. Una serie de rampas y escaleras llevaban hasta la entrada.

—¿No es impresionante?

—¿Qué parte? ¿La arena o la arena? —preguntó su hermano.

—Estar aquí, pisando esta tierra que hace miles de años pisaban otras personas. Estaba leyendo en la guía que...

Dan levantó la mano y cruzó los dedos.

—Alerta: otra lección.

—... que este templo fue diseñado por el arquitecto de la reina, Senenmut, de la octava dinastía. Después hubo algunos destrozos causados por Ramsés...

—Supongo que a él no le gustó tanto...

—... fue también un monasterio copto durante un tiempo. Aún están haciendo excavaciones en él. Creo que deberíamos ir directamente a ver los grabados sobre el viaje de la reina a las tierras de Punt. Mira la nota de Grace:

¡No os perdáis esto! Incluso durante el Imperio Nuevo, una reina no podía dejar de hacer compras navideñas.

—¿Dónde está Punt? —preguntó Dan—. ¿Está cerca de Ángulo y Esquina?

—No se sabe con certeza. Hay quien dice que se trata de la actual Somalia. Hatshepsut dirigió una expedición allí.

Se acercaron a la rampa más grande, que tenía escaleras con peldaños bajos en el centro. El calor rebotaba contra la blanquecina piedra y caía sobre sus cuerpos. Los pálidos amarillos y beiges de la arena y los acantilados hacían brillar todo. Amy apreciaba que Theo hubiese insistido en que se pusiesen gafas de sol y gorras, pues el resplandor era cegador. A medida que ascendían, Amy se sentía cada vez más aturdida. El calor, el azul del cielo, las escarpaduras y la grandeza de las estatuas y columnas le producían mareos.

—Allí está —dijo la muchacha, señalando una estatua de Hatshepsut.

—¡Mira! ¡Si tiene barba! —exclamó Dan—. ¡Esta reina es un hombre!

—Se hacía llamar «rey» —explicó Amy—. Así que a veces se la retrata con una barba.

—Lo que tú digas —respondió su hermano—. Aun así sigo pensando que necesita un buen afeitado.

—Creo que hay que ir a la derecha —opinó la joven.

—No, a la izquierda.

—A la derecha, luego izquierda y a continuación derecha otra vez.

—Y giro, patada y salto también. ¿Me estás dando indicaciones o me cuentas cómo fue el último baile de tu clase de danza? —protestó Dan tratando de quitarle el libro—. Déjame ver.

—No, lo tengo yo.

—¡Yo aún no lo he visto!

Amy le arrancó el libro de las manos.

—No quiero que lo pierdas.

—Así que crees que voy a perderlo, está bien —mascculló Dan enfadado.

Amy comenzó a caminar apresuradamente. No quería perder el libro de vista, ya que contenía los mensajes de Grace y, aunque ella no pudiese descifrarlos, no quería que Dan lo manchase de comida o se lo olvidase en cualquier cafetería.

Dan caminaba lentamente detrás de ella, con el ceño fruncido. Amy, ansiosa, no dejaba de observar las enormes paredes y de releer las páginas de la guía tratando de encontrar el punto exacto. De repente, se detuvo y señaló algo.

—¡Ahí! Ése es justo el lugar donde Grace se sacó aquella foto.

La muchacha se colocó en el rincón exacto y adoptó la misma postura que tenía su abuela.

—No lo entiendo —dijo Dan—. Hace tropecientos años, una reina se fue a Punt. ¿Y eso qué tiene que ver con nosotros? Eh, mira eso.

El muchacho señaló la estatua de una mujer baja y rechoncha y Amy consultó la guía.

—Es la reina de Punt. Ella le regaló a Hatshepsut varios árboles de mirra.

—Eso no importa; fuese quien fuese, debería dejar de comer tanto falafel.

—¿Por qué nos ha traído aquí, Grace? —se preguntó Amy a sí misma en voz alta—. ¿Qué intenta decirnos? ¡Es tan frustrante!

—Bueno, por lo menos está intentándolo —respondió Dan—. Finalmente nos ha echado una mano, nos ha ayudado con la pista de *Saladin* para que supiésemos abrir la estatua. Eso es algo que sólo sabíamos nosotros dos.

—Supongo que tienes razón —admitió Amy, observando el valle y la fila de turistas que se dirigían hacia la rampa. Fue entonces cuando reconoció a dos figuras que se habían quedado rezagadas detrás del grupo de visitantes.

—¡Mira! —exclamó ella—. Son Jonah y su padre.

—Oh, no —protestó el muchacho—. Tenía esperanzas de que los encerrasen como mínimo durante toda la eternidad.

De repente, con tanta claridad, se sintieron expuestos a la vista de todos. Los dos hermanos miraron hacia abajo y vieron cómo las dos diminutas figuras de Jonah y su padre se detenían. Jonah se sentó en medio de la rampa, parecía estar muy cansado y tener demasiado calor como para dar otro paso. Su padre se agachó con la obvia intención de hacerlo levantarse.

—¿Dónde están Theo y Nella? —se preguntó Dan—. Ya deberían haber llegado.

Amy sintió un escalofrío alarmante.

—Vamos a buscarlos.

Se dirigieron hacia la siguiente explanada. Cuando llegaron a lo alto de la rampa, vieron a Theo y a Nella sentados al pie de una columna.

—¡Hemos estado buscándoos! —protestó Nella, aunque a

Amy le parecía que más bien habían estado ahí sentados, agarrados de la mano.

—Tengo buenas y malas noticias —informó Theo—. Las malas: la tumba de Nefertari está cerrada.

—¡Qué mala suerte!

—Las buenas noticias son que Theo es genial —añadió Nella, mirando fijamente a Theo con ojos soñadores—. Deberíais haberlo visto en acción. Ha conseguido hablar con la persona más importante, un arqueólogo de alto prestigio, y entonces ha empezado a hablarle del libro que está escribiendo y, claro, el señor se ha quedado tan impresionado con el estupendo trabajo de Theo que nos ha dado un pase y ahora sí que podemos visitar la tumba. ¡Es todo un genio!

—Estás exagerando, si no ha sido nada —respondió Theo.

—No seas tan modesto —dijo Nella.

—No tiene nada que ver conmigo, lo has hecho todo tú con tu encanto.

—¿Hola? ¿Hablo con la sociedad de la admiración mutua? —preguntó Dan—. ¿Recordáis lo de la tumba?

—Bueno, será mejor que vayamos antes de que ese señor cambie de opinión —sugirió Theo.

—¿Hay algún otro camino? —preguntó Amy—. Me gustaría ver las cosas que los turistas no suelen ver.

—Yo siempre sé dónde está la puerta de atrás, ¿te acuerdas? —respondió Theo—. Eso sí, no olvides que, en el caso de las tumbas, sólo hay una salida.

—Bien, hay un par de reglas que debemos seguir —explicó Theo—. El estado de esta tumba es muy frágil, así que están totalmente prohibidas las cámaras, los *flashes* o las linternas.

Una vez haya abierto la puerta, las luces se encenderán, podréis ver, pero las luces no serán demasiado fuertes. Los frescos han de protegerse a toda costa. Mirad bien dónde pisáis en la escalera y no toquéis ninguna de las paredes. Ah, y cuando diga que es hora de marchar, nos vamos. Tenemos diez minutos. ¿Entendido?

Todos asintieron. Theo abrió una pesada puerta de hierro y desapareció dentro de la tumba. Los demás siguieron detrás de él. El aire se enfriaba cada vez más a medida que iban descendiendo y olía a polvo. Amy oyó a su hermano toser. Le preocupaba que el aire viciado del lugar pudiera empeorar su asma.

Theo habló en voz baja, casi susurrando.

—Esta tumba fue encontrada vacía. Los ladrones lo habían robado todo tiempo atrás. Aun así, tiene un tesoro mucho mayor.

Caminaron hasta la primera habitación. Amy se quedó sin aliento. Un abanico de colores salió a su encuentro, colores vivos y preciosos: rojos, dorados, verdes y azules.

—Ahí, ésa es Nefertari. Su nombre quiere decir La Más Bella.

La figura llevaba una bata blanca transparente con un grueso collar de oro y pendientes con forma de flor.

—Es preciosa —dijo Nella—. Me encantaría tener sus joyas.

—Mirad hacia arriba —susurró Theo.

Sobre sus cabezas, el techo estaba pintado de un azul oscuro y, con unas pinceladas rápidas, se habían dibujado filas y filas de estrellas doradas. A Amy le provocaron mareos.

—La tumba fue diseñada para que Nefertari pudiese decir adiós a la vida a medida que descendemos —explicó Theo guiándolos hacia abajo por una estrecha escalera—. Varios dioses la saludan y ayudan en su viaje. La habitación final es la de la tumba.

Pasaron por delante de otras pinturas, también preciosas y de colores vívidos.

—Ése es Osiris —explicó Theo señalando la imagen—. Dios del inframundo y marido de Isis. Cuando entramos en una tumba, sea cual sea, nos adentramos en el mundo de Osiris.

Atravesaron la cámara funeraria.

—Aquí, Isis enseña a Nefertari el camino al inframundo —continuó Theo—. Mirad con qué delicadeza le sujeta la mano. Le está colocando el *anj*, símbolo de la vida eterna, contra la boca.

Amy se había olvidado de la pista. Era complicado concentrarse con tanto color y misterio por todas partes. Estaba en el centro de un antiguo mundo, y lo único que podía hacer era dar vueltas a su alrededor para reunir cuantas más imágenes mejor.

—Nuestros diez minutos se han acabado —anunció Theo.

—¡Es imposible! ¡Si acabamos de llegar! —exclamó Amy.

—El tiempo se detiene aquí abajo, ¿verdad? Pero tenemos que marcharnos. ¿Habéis encontrado lo que buscabais?

—No, pero ha sido increíble —respondió Amy. Le parecía imposible decidirse por un solo jeroglífico o dibujo. Todo era muy antiguo y existía desde miles de años antes que Katherine Cahill. Su antecesora había visto esa tumba, había caminado por ella y se había impresionado por su belleza, tal como habían hecho ellos. ¿Cómo se le habría ocurrido dejar algo ahí con la certeza de que alguien lo iba a encontrar? Lo más probable era que no fuese un objeto, pues ella sabía que podría desaparecer, ya que sus guías eran ladrones de tumbas.

Amy echó un último vistazo atrás a medida que subían de nuevo la escalera hacia el aire fresco y la luz del sol.

«¿Qué habrás dejado, Katherine?», se preguntó.

De vuelta al barco, vieron un papel blanco que revoloteaba en el mástil.

—¿Qué es eso? —preguntó Amy con recelo.

—Tal vez sea el menú de una pizzería —respondió Dan—. ¿Comen pizza las momias?

Subieron a bordo y se acercaron. Nella se sobresaltó. Clavado en el mástil, un puñal de aspecto letal sujetaba el papel. La cuchilla brillaba a la luz del sol. Se aproximaron más y leyeron la nota:

Que la muerte venga
y se lleve velozmente
a quien ose perturbar
la paz de un durmiente.

—Esto da bastante miedo —dijo Nella estremecida.

Theo quitó el puñal y arrugó el papel.

—Deben de ser los habitantes de la zona, que quieren divertirse asustando a los turistas.

Amy no pensaba lo mismo.

—Pero ¿qué quiere decir? —preguntó.

—Es la maldición del faraón —explicó Theo—. Una tonta superstición, eso es todo. Todo aquel que profane una tumba sufrirá una terrible y prolongada muerte. En realidad, es lo mismo que dicen todas las películas de terror. Muy infantil.

«¿Infantil?», pensó Dan mirando a su hermana.

—Jonah —le susurró.

Nella se apresuró a servir la comida que habían comprado de camino al barco.

—¿Podríamos evitar hablar de maldiciones y momias antes de comer? No es nada bueno para la digestión.

Dan y Amy se sentaron en unas sillas apartadas para evitar ser oídos por Theo y Nella, que hablaban mientras comían.

—Así que Jonah sabe que estamos aquí —dijo Dan.

Amy cogió algo del *baba ghanoush* de su plato con un trozo del pan plano que llaman *aish merahrah*.

—Tienes razón, puede que sea él. Éste es su estilo.

—Él preferiría seguirnos antes que ponerse a pensar para averiguar algo por sí mismo —opinó Dan—. Pero ¿qué será?

Amy miró fijamente su plato.

—Parece algo así como berenjena, creo.

—No, quiero decir qué será lo que se nos está escapando. ¡Somos dos niños sin treinta y nueve pistas! Tiene que haber una razón para que Katherine Cahill nos haya llevado a esa tumba. —Dan había memorizado el mensaje mudo de su ancestro, así que empezó a darle vueltas.

Se incorporó y dijo:

—Eh, ¿recuerdas lo de «Bajo las milenarias estrellas, esta tierra de reinas y diosas os ha de guiar y, en ella, cada paso y peldaño habréis de cuidar»? Nosotros pensamos que hablaba de las estrellas del cielo, pero ¿y si en realidad hablaba de...?

—¡Las estrellas doradas del techo de la tumba! —exclamó Amy.

—Cada paso y peldaño —añadió Dan—. Nosotros examinamos cada centímetro de la cueva... ¡todo menos los peldaños! ¡Tenemos que entrar de nuevo en esa tumba!

CAPÍTULO 13

Irina se agarró con fuerza al pasamanos. No podía arriesgarse a caer por aquella empinada escalera. Había visto a los niños Cahill salir de la tumba, por eso estaba segura de que tenía que haber algo ahí. Un pequeño explosivo hizo estallar el cierre y en seguida entró. Por suerte no la habían visto. Los egipcios eran algo susceptibles en cuanto a sus preciosos lugares históricos.

La ex espía entró en una antecámara. Esas simples figuras egipcias... eran todas iguales y la tenían rodeada, algunas con cabeza de pájaro, otras con coronas, aquéllas con bastones que se doblaban como las serpientes... Pero los colores...

Dirigió su atención de nuevo a su tarea. Había más escaleras, así que, con cuidado, comenzó a bajar por ellas. Se alegraba de haberse puesto sus zapatillas deportivas. La verdad era que esos estadounidenses sí que sabían cómo hacer calzado deportivo, tenía que reconocerlo. Irina pensaba tanto en los zapatos porque se sentía un poco mareada. Se trataba de un truco que solía usar cuando tenía que hacer alguno de sus trabajos estando cansada o exasperada, ya que sus emociones siempre amenazaban con apoderarse de ella. La idea era concentrarse en algo trivial.

Pero ¿por qué se sentía abrumada?

A su izquierda, un chacal negro le ofrecía algo a una reina egipcia. Debía de ser Nefertari. Irina no sabía nada sobre arte egipcio, pero de alguna manera entendió que a la preciosa reina le estaban dando la bienvenida al inframundo. Iba a dejar su vida atrás. El amanecer, el río, el palacio, su marido e hijos... iba a ser desposeída de todo eso.

Entró en la cámara funeraria. Habían colocado a la reina entre los pilares. Esas simples figuras, todas iguales, como si fueran personajes de dibujos animados, con su pelo negro y sus ojos opacos... nunca se había dado cuenta. «¡Son preciosos!», pensó.

Esas pinturas... se imaginó a los artistas allí, mojando sus pinceles en botes con pigmentos dorados, verdes y azules. No sólo estaban pintando la historia de la muerte de una reina, sino que pintaban todas las vidas y todas las muertes. Todas las alegrías y todas las penas.

Deslumbrada, Irina daba vueltas a su alrededor, asombrándose cada vez más.

Sintió algo extraño en la cara, algo tan raro que al principio ni siquiera conseguía reconocer. Era como un vientecillo, algo frío en aquel aire viciado. Una lágrima.

¿Qué estaba sucediendo?

«Grace, ¿qué me estás haciendo?»

Porque pudo sentirla. De repente notó su presencia, estaba allí, con ella. Su brío, su intelecto, su impaciencia... su cortesía.

«Fuiste gentil conmigo —le dijo a Grace—. Cuando me dijiste que era tonta, no había dureza en tu tono de voz, y había amabilidad en tus ojos.»

«¿A quién no puedo perdonar? ¿A ti... o a mí misma?»

Irina miraba fijamente la pared. El renacer: se dio cuenta de que esa cámara no hablaba de la muerte en absoluto. Sólo hablaba del renacer.

¿Podría eso suceder? Después de una vida vivida, elección tras elección, ¿sería posible acabar en un lugar pequeño y oscuro que... te llegase a cambiar?

CAPÍTULO 14

«Nota para mí mismo —pensó Dan—: No pensar en momias chupacerebros cuando esté dentro de una tumba antigua.»

La oscuridad los rodeaba por todas partes. Acababan de empujar la puerta de la tumba, que, por alguna razón, estaba abierta. Tal vez Theo se hubiese olvidado de cerrarla. De algún modo, sin su alegría, la tumba parecía oscura y espeluznante.

—¿Crees que deberíamos bajar? —susurró Amy.

—Por eso estamos aquí —respondió Dan inmóvil.

—Esto es ridículo —dijo la joven incorporándose—. Vamos.

Encajó la puerta todo lo que pudo. Dan permaneció cerca, detrás de ella, mientras bajaban la escalera y, cuando llegaron a la antecámara, ambos miraron hacia el techo. Las estrellas parecían un campo de flores doradas contra el brillante azul.

Miraron de nuevo hacia la escalera.

—Vamos a examinar los peldaños —sugirió Amy—. Es posible que Katherine haya dejado una pista escondida detrás de la pieza vertical de alguno de ellos. Es más probable que la haya dejado ahí que en la parte horizontal, pues ella sabría que cientos de años de pasos podrían desgastar cualquier mensaje que dejase.

Examinaron la escalera de arriba abajo, pero no había nada más que la vieja y gastada piedra.

—Vamos a ver en la otra —propuso la muchacha—. Será mejor que nos demos prisa.

Bajaron la siguiente escalera cautelosamente, adentrándose en la tumba.

—¡Espera! —susurró Amy. No sabía por qué susurraba, pero no le parecía correcto gritar en un lugar como ése.

Se agachó y forzó la vista tratando de ver en la tenue luz. Se olvidó completamente de sus nervios al darse cuenta de lo que acababa de descubrir.

—¡Dan, ven aquí! Creo que es un jeroglífico. Está tallado en la piedra.

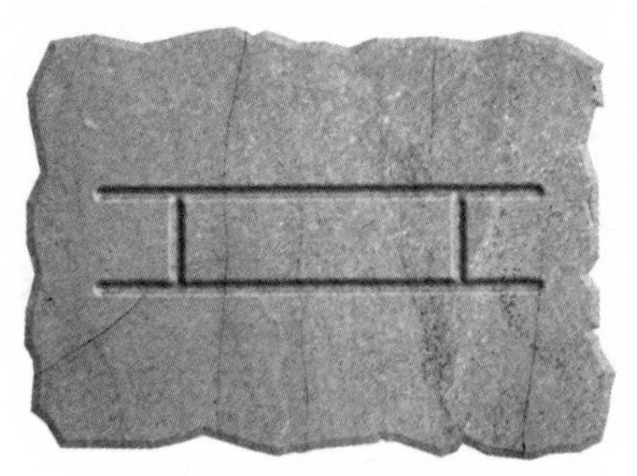

—Y aquí —respondió Dan.

Siguieron bajando y encontrando un jeroglífico tras otro.

De repente, oyeron un sonido chirriante, como el que hacen dos metales cuando chocan.

El ruido fue mucho más fuerte cuando la puerta de hierro de la tumba se cerró por completo y las luces se apagaron inmediatamente después.

—¿Amy? —susurró Dan.

—Estoy aquí. —Amy sabía que Dan estaba a pocos centímetros de ella por el sonido de su voz. La oscuridad era tan grande que ni siquiera se veían las manos. Luchó contra el pánico.

La negrura se apoderaba de ellos como si fuese un ser vivo.

Dan trató de recobrar el aliento. Amy lo cogió de la mano. En una situación normal, Dan habría soltado su mano y exclamado algo como «¡puaj!», pero en ese momento, los dedos de su hermana lo hicieron sentirse mejor, aunque estuviesen algo sudados.

—Alguien ha cerrado la puerta —susurró Amy.

—Muchas gracias, hermanita, no me había dado cuenta —respondió su hermano, también susurrando.

De repente, Dan oyó un ruido. ¿Sería un paso? Era como si alguien caminase sin levantar los pies del suelo. También sonaba como si esa persona arrastrase una especie de envoltorio tras de sí...

—¿Has oído eso? —preguntó Amy en voz baja.

—No —mintió Dan.

«QUE LA MUERTE VENGA Y SE LLEVE VELOZMENTE A QUIEN OSE PERTURBAR LA PAZ DE UN DURMIENTE.»

Dan sabía que estaba respirando polvo, lo sentía en sus pulmones. Tenía dificultades para respirar, oía el pitido con sus propios oídos.

—Dan —dijo Amy agarrándolo del hombro—, hay aire de sobra. ¿Tienes tu inhalador?

La reconfortante voz de su hermana lo tranquilizaba. No entendía cómo podía estar tan sosegada, pero lo ayudaba. Se acordaba del miedo que tenía ella cuando casi los entierran vivos. Súper Amy se volvía cada vez más valiente. Metió la mano en el bolsillo de sus pantalones y sacó su inhalador.

Mucho mejor.

Se oyó de nuevo el ruido, su suave tono amenazador era terrorífico. Ni siquiera se molestó en decir que no lo había oído.

Se imaginó una momia, con agujeros negros en los ojos y arrastrando sus vendajes. Ya le habían extraído el cerebro, así que no era más que una cosa muerta en busca de...

«Corta el rollo —le dijo a su corazón, que latía rapidísimo. «Si esto fuese un videojuego, pensarías que es muy divertido.»

Se volvieron a oír los pasos, arrastrándose por el suelo, cada vez más cerca.

«¡Pero esto no es un juego!»

Fuese quien fuese, persona o cosa, estaba cazándolos.

—Tenemos que escondernos —susurró Amy—. Vamos a la cámara funeraria.

Dan no quería de ningún modo volver a la cámara funeraria. Sólo de pensar en hacerlo ya se le congelaba la sangre, pero aun así siguió a su hermana hasta llegar al lugar donde la momia yacía desde hacía miles de años.

Incluso en la negrura de la oscuridad, Irina podía orientarse perfectamente. Había oído a Dan y a Amy acercándose a ella. Su visión era como la de un gato. Podría encontrar la salida de una cueva aunque estuviese varias millas bajo tierra si tuviese que hacerlo. De hecho, ya lo había hecho, gracias a aquel desagradable trabajito en Marrakech allá por los años noventa.

La acústica de la tumba ampliaba cada sonido. Iban directos hacia ella. Ésta era su oportunidad, por fin serían suyos. Había que frenar a esos niños, había que detenerlos y asustarlos tanto como para que regresasen a Boston, al lugar al que pertenecían.

Sus uñas venenosas... siempre eran una buena opción. ¿O quizá fuese mejor una pequeña explosión? Nada demasiado desagradable, sólo lo suficiente como para iniciar un pequeño derrumbamiento. Si pudiese pasar a su lado sin que se enterasen y después poner el dispositivo en la entrada... ¡bum! Se quedarían encerrados en la cámara funeraria durante una buena temporada, imaginó ella. Lo suficiente como para decidir que la búsqueda de las treinta y nueve pistas eran cosa de adultos y no de niños.

Irina caminó hacia adelante silenciosamente. Amy, vacilante, dio un paso dentro de la cámara. Los dos hermanos iban de la mano. Ohhh, qué adorable, ¡cobardes llorones!

Esa tumba tenía un efecto en ella. Estaba teniendo pensamientos locos. «¡Blin!», como solía decir su abuela, casi tira piedras a su propio tejado. Ideas disparatadas, que si había seguido el camino equivocado, que si había más opciones...

Tan sólo existía una opción y estaba por encima de las demás.

Estaban cerca, podía oler su miedo. Sonrió cuando se aproximó a ellos. Sólo un milímetro más o dos... Su pie chocó contra algo.

—¡¿Has oído eso?! —chilló Amy.

Irina estaba tan cerca que podía alcanzarlos con su mano. Sólo tendría que estirar un dedo y... arañar.

Volvió a darle el tic en el ojo. Se agachó y recogió lo que había tocado con el dedo del pie. Palpó el objeto y reconoció un pequeño libro que guardó en su bolsillo.

«Sí, estoy aquí mismo, camarada.» Irina distinguió el brillo de la nuca de Dan... tan vulnerable y tan cerca.

Aunque... pensándolo bien, casi sería mejor que estuviesen despiertos cuando tuviera lugar la explosión. Si no, ¿cómo podría asustarlos si estaban inconscientes? El terror se vivía más cuando uno estaba totalmente despierto.

Vacilante, Irina pasó por delante de los niños como un fantasma. Subió la escalera y se dirigió a la puerta. La cámara lateral estaba ahora a su izquierda. En el otro bolsillo tenía el explosivo.

Irina se detuvo, puso el temporizador y sujetó el explosivo, que ya estaba listo para ser colocado. Entonces recordó las pinturas de las paredes, la reina, las otras diosas que le daban la mano y le mostraban el camino, los verdes, dorados y azules. Esa tumba había sobrevivido tres mil años, debía descansar en paz.

¿Qué? ¿Cómo se había colado ese pensamiento dentro de su cerebro?

Ella era una Cahill, una Lucian. Superior en intelecto y astucia. Haría cualquier cosa por conseguir lo que quería... excepto destruir aquello que los milenios, la arena, el agua y los ladrones habían respetado.

Irina apagó el temporizador y, en ese momento, oyó unos pasos. Había alguien más.

Irina no le tenía miedo a nada, excepto... quizá a los payasos, así que caminó hacia el ruido.

CAPÍTULO 15

La puerta se abrió con un gran estruendo y las luces se encendieron.

—¿Dan? ¿Amy? ¿Niños?

—¡Es Nella! —gritó Amy—. ¡Estamos aquí!

La niñera corrió escalera abajo hasta llegar a la cámara funeraria. Se lanzó sobre ellos y les dio un enorme abrazo.

—¿Queréis dejar de hacer esto? —preguntó—. ¡Estaba nerviosísima! Podríais haberos quedado aquí durante... ¡una eternidad!

De repente, Theo bajó a toda velocidad hasta donde ellos estaban.

—¿Amy? ¿Dan? ¡Nella! —Theo sujetó a Nella por los codos—. ¿Estáis bien?

—Estoy bien —respondió ella.

—Amy y yo estamos bien, gracias —contestó Dan.

—¡He estado buscándoos por todas partes! —dijo Theo a Nella desesperado—. ¿Estás segura de que estáis bien?

—Perfectamente bien —reafirmó Dan—. Sólo estábamos encerrados en una tumba. No hay problema.

—¿Qué quieres decir, Theo? —preguntó Nella—. Me he despertado y he visto que Amy y Dan no estaban. Sabía que ellos volverían aquí. Es muy fácil, sólo tengo que pensar qué cosa es la que más me asusta y ya sé dónde están.

Theo se secó el sudor de la frente.

—He recibido un mensaje en el teléfono diciéndome que estabais en líos. He estado buscándoos por todas partes.

—¿Has visto a alguien al entrar en la tumba? —preguntó Amy a Nella.

La niñera negó con la cabeza.

—He echado a correr escalera abajo cuando os he oido gritar.

—Hemos oído a alguien —explicó Dan—, sonaba como si alguien se arrastrara.

Theo trató de esconder una sonrisa.

—¿Una momia?

—No nos lo hemos imaginado —respondió Dan enfadado—. Lo más probable es que esa persona se haya escondido en una de las cámaras laterales y haya salido cuando Nella ha entrado en la cámara funeraria.

—¡Oh, no! ¡La guía de Grace! —exclamó Amy—. ¡Debe de habérseme caído!

Buscaron por toda la tumba, pero no la encontraron.

—¿Estás segura de que la tenías? —preguntó Theo.

—Claro que está segura —respondió Dan—. ¿No ves que nunca la pierde de vista? —Miró alrededor de la tumba—. Alguien más estaba aquí.

—Fuese quien fuese, se ha llevado el libro de Grace —añadió Amy.

Después de cenar, Amy y Dan se sentaron en la cabina del barco en silencio. Theo había sugerido ir a Luxor a tomar el postre, porque conocía un restaurante genial en lo alto de un edificio con vistas al río y al Templo de Luxor, pero ellos no tenían el cuerpo para dulces ni para ir de paseo.

La tristeza se cernía sobre Amy como una nube. Dan sabía exactamente cómo se sentía. El libro había desaparecido. Así se sintió él, más o menos, cuando perdió la fotografía de sus padres en el túnel del tren en París. Era como si hubiera perdido una parte de ellos. Ahora habían perdido una parte de Grace. Una parte crucial.

Poco a poco iban perdiendo más y más cosas de sus antiguas vidas. Se caían en cada intento y les costaba levantarse, sentían que vivían en un mundo sin gravedad, en el que pronto no habría nada a lo que aferrarse. Aquella noche, Dan se mareó más que nunca con los movimientos del barco.

Había que actuar y dejar de romperse la cabeza. Pensar demasiado no llevaba a ningún lugar, daba igual lo que dijese su hermana.

Dan entregó a Amy un trozo de papel.

—Aquí tienes.

Había escrito los jeroglíficos que habían encontrado en la escaleras de la tumba de Nefertari.

Amy no se molestó en preguntarle si estaba seguro de que se acordaba bien. Se levantó de un salto y se dirigió a las abarrotadas estanterías, de donde sacó un libro.

—Lo vi el otro día. Es un diccionario de jeroglíficos.

Abrieron el libro. Tardaron un buen rato en averiguar los significados de los símbolos. Dan los copió en un papel.

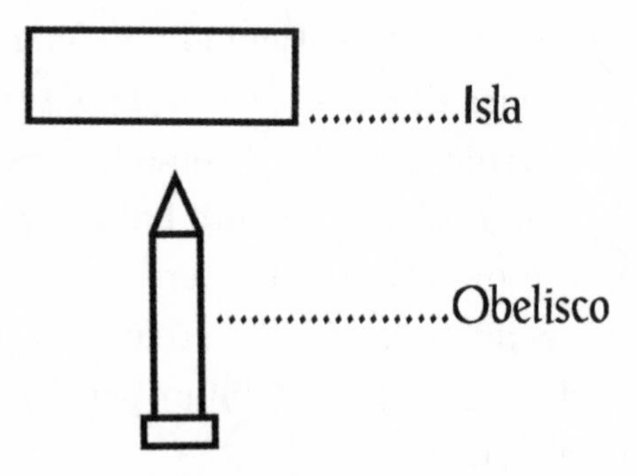

—Río, acantilado, isla, obelisco —leyó Dan, señalando cada uno de ellos—. Éstos son fáciles, pero este último no lo hemos encontrado.

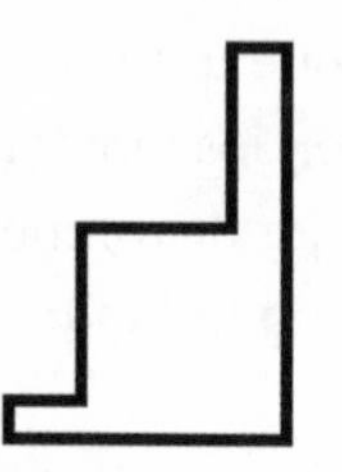

—Bien, ahora estamos en Luxor —dijo Amy—. Hay un río, acantilados, islas en el río y también obeliscos, pero no creo que Katherine hiciera una lista de cosas al azar.

—Eso si fue Katherine quien hizo los grabados —puntualizó Dan—, que aún no lo sabemos con certeza. En el siglo XVI no sabían descifrar jeroglíficos, no se empezaron a traducir hasta unos doscientos años después, cuando encontraron la piedra Rosetta.

—Ya, pero estos de aquí son bastante simples —respondió Amy—. Son pictogramas, significan exactamente lo que son. Seguramente era capaz de imaginar el significado. También podríamos haberlo hecho nosotros, incluso sin el diccionario, bueno, excepto este último.

—Las cosas no encajan —dijo el muchacho—, quizá haya

una cuarta Sakhet. ¿Recuerdas la nota que encontramos de aquel tipo, Drovetti? Él dijo que la pista había sido trasladada al palacio de L.

—Luis XIV, tal vez —sugirió ella—. Versalles está a las afueras de París.

—Igual ni deberíamos estar aquí —añadió Dan—. Un Lucian se llevó la información más importante a París. Tengo la sensación de que no llegaremos al final de este asunto.

Amy echó un vistazo por la ventana.

—¿Dan? ¿Te has dado cuenta de que las luces de la ciudad... están como más lejos?

Dan se levantó.

—¡El amarre se ha soltado! ¡Estamos navegando hacia el centro del río!

—¡Excelente trabajo, compañeros! —Jonah Wizard apareció en lo alto de la escalera; se dirigía a cubierta—. Buena idea. ¡París es mi ciudad! ¡Todos me adoran allí!

Amy y Dan corrieron hacia la escalera. Jonah dio un paso atrás y los dejó subir a cubierta. Se encontraban en medio del río. Las luces de Luxor parecían estar muy lejos.

El señor Wizard estaba al timón. Se desplomó en una silla y empezó a reír señalando a los hermanos Cahill.

—¡Deberíais veros las caras! —dijo el joven artista—. Es para morirse de risa. En fin, ¿qué puedo decir? Tendríais que haber aceptado la alianza cuando os la ofrecí. Oye, papá, reserva dos billetes a París en primera clase. Adoro la Galería de los Espejos de Versalles. ¡Hay tanto de *moi* que ver!

—Aquí no tengo cobertura —respondió el señor Wizard, mientras manejaba su teléfono.

—¿Sabéis qué? —Jonah colocó las piernas sobre el brazo de la silla de cubierta y comenzó a balancear los pies—. Parecéis algo abatidos. Creo que necesitáis unas vacaciones; ¿qué me decís de una bonita isla tropical?

El señor Wizard hizo girar el barco y cruzó hasta una pequeña pasarela que había al otro lado.

—Oh, vamos —protestó Dan—. Tienes que estar de broma. ¿Vas a hacernos caminar por la pasarela?

Jonah soltó una carcajada.

—Eso es, pirata de agua dulce. ¡Siempre he querido ser un pirata!

—Sugiero que os vayáis ahora —añadió el señor Wizard—. Tenemos que coger un avión.

La pasarela llegaba hasta la arena de una pequeña isla deshabitada. Todo lo que Amy y Dan veían eran frondosos árboles y maleza. Amy se alegró al recordar que la Sakhet estaba en su riñonera.

—¡Nos las pagarás! —le dijo Dan a Jonah.

—Sí, ya, lo que tú digas.

—Y esos estúpidos ruidos no nos asustaron lo más mínimo.

—¿Qué ruidos? —preguntó Jonah—. Calla y empieza a caminar, Peter Pan. Tú primero, Campanilla —le dijo a Amy.

Dan siguió a Amy por la pasarela.

Cuando llegaron a la isla, el señor Wizard retiró el barco y se alejó.

—¡Que os divirtáis! —gritó el artista—. Supongo que alguien pasará por ahí algún día... tarde o temprano. Oh, sólo una cosa... —Su voz atravesó el río—. ¡Cuidado con los cocodrilos!

CAPÍTULO 16

Amy decidió que nunca más iba a ver documentales sobre animales. Una vez que has vivido en plena naturaleza, perdía todo su encanto.

Se alejó de la orilla del río. Detrás de ella, los árboles y el follaje parecían impenetrables. Sin el sol, el agua parecía aceitosa y el color era más oscuro.

—La mandíbula del cocodrilo es la más fuerte del reino animal —explicó Dan—; dos mil quinientos kilos por cada dos centímetros cuadrados. Eso es unas doce veces más que el gran tiburón blanco. Se mueven muy rápido, incluso en tierra, pero la mejor manera de huir de ellos es de forma lineal, no vayas haciendo zigzag. Sólo corre todo lo que puedas.

—¡Dan! ¡Cierra el pico! —respondió Amy.

—Cazan durante la noche. Le tienden una emboscada a su presa.

—No me estás ayudando.

—Te arrastran hasta el agua y empiezan a dar vueltas contigo y, cuando te has ahogado, entonces te comen. Eso con suerte. Tienes que sujetar sus mandíbulas con tus manos y mantenerlas cerradas...

—¡Dan! ¡Piérdete!

—¡Ya estoy perdido!

Hubo un corto silencio. A lo largo del río, las luces de Luxor brillaban en la oscuridad. Detrás de ellos, en la orilla occidental del río, los antiguos reyes y reinas dormían en los acantilados de piedra caliza, las momias que aún quedaban por descubrir, las colinas que acunaban sus espíritus. Sobre sus cabezas, el cielo estaba repleto de estrellas, más de las que Amy había visto en su vida. Habría sido precioso si hubiese podido dejar de preocuparse por que un cocodrilo la atrapase entre sus fauces.

—Sólo estoy intentando ayudar —se disculpó Dan.

—Si conseguimos atraer la atención de un barco, alguien nos verá —dijo Amy, que veía las luces en las partes traseras de los barcos, falucas, como los llamaba Theo, en el río—. ¿Cómo se dice «¡Ee-oo!» en árabe?

—Supongo que eso forma parte del lenguaje universal —respondió Dan—. Es como «¡Ay!» o «Me estás pisando un pie».

—¿Eso es universal?

—«Me estás pisando un pie» no, pero «¡Ay!», sí.

Amy se movió.

—¡Ee-oo! —Su voz sonó muy débil. La oscuridad se la tragaba por completo. Intentó recordar si los cocodrilos se guiaban por el ruido para cazar. Decidió no preguntarle a su hermano.

»¡Ee-oo! —gritó. Las luces de los diminutos barquitos seguían su rumbo, moviéndose perezosamente hacia adelante y hacia atrás—. Bueno, Nella y Theo vendrán a buscarnos —dijo ella.

—¿Y cómo van a venir? —preguntó Dan—. ¡Jonah ha robado el barco!

—Alquilarán otro y...

—Silencio —dijo su hermano.

—Sólo porque yo te haya mandado callar antes...

—¡Shhh! ¡Escucha!

Al principio Amy no oyó nada, pero después sintió un suave chapuzón y se quedó de piedra.

—¿Has visto algo? —susurró.

—Me ha parecido ver... un par de ojos —respondió su hermano en voz baja—, hacia ahí... al lado de esos juncos. Los cocodrilos se sumergen antes de atacar...

Amy echó un vistazo, pero no vio nada entre las plantas, sólo un enorme tronco flotando cerca de la orilla del río. Después se dio cuenta de que el leño tenía dos ojos y un hocico. El reptil se volvió y comenzó a deslizarse hacia la playa.

—¡D-d-d-dan!

—¿Qué?

—¡Cocodrilo!

El animal avanzó pesadamente hasta la playa y a Amy se le olvidó cómo moverse. Caminaba como un dinosaurio, algo primitivo, malvado y hambriento de carne fresca. El cerebro de la muchacha enviaba todo tipo de impulsos, pero el terror los neutralizaba completamente. El cocodrilo abrió la boca y Amy se quedó pasmada al ver los cientos de afilados y puntiagudos dientes que la llenaban.

«La mandíbula del cocodrilo es la más fuerte del reino animal...»

—¡Corre! —gritó Dan, tirándole del brazo.

Amy dio media vuelta, tropezó y echó a correr por la playa hacia el centro de la isla. La arena le entraba en los zapatos, era como correr en una pesadilla.

La muchacha miró hacia atrás. ¡El cocodrilo los perseguía!

—¡No corras en zigzag! —gritó su hermano.

Pero ella no zigzagueaba, sino que iba tropezando con todo. Las piernas le temblaban tanto que no podía ni correr.

De repente, se vieron rodeados de maleza, siguiendo un sendero que serpenteaba entre los árboles. A Amy se le enganchó la camiseta en una rama, pero la muchacha la soltó y siguió corriendo, saltando por encima de las raíces y agachándose para pasar bajo las ramas.

Además de su propia respiración, oían también el ruido de las patas del cocodrilo golpeando sobre el suelo y la enorme cola rozando contra la vegetación.

La oscuridad era tan profunda bajo los árboles que parecía que corrieran con la cabeza dentro de una capucha negra. A Amy se le salía el corazón del pecho. Ya sentía el cálido aliento de la bestia. En cualquier momento la atraparía por la espalda, la lanzaría por el aire y la partiría en dos con sus fuertes mandíbulas.

El sendero finalizó de repente y se encontraron en una playa. La luz de la luna iluminaba la arena. Era como si alguien hubiese encendido las luces.

—¿Adónde vamos ahora? —preguntó Amy, moviendo la cabeza de un lado a otro.

En la orilla, una sombra salió de debajo de una palmera. Un hombre vestido con la tradicional *galabia* que llevan muchos egipcios se dejó ver.

—¡Ayúdenos!

—Amy... —Dan se detuvo en seco—. Tiene una navaja.

La luz de la luna iluminó la hoja de la daga.

Amy se dio la vuelta. Detrás de ella, en el sendero, vio los ojos verdes del cocodrilo yendo hacia ellos. Cada vez más rápido.

—Me da igual —dijo Amy—. ¡Vamos!

Corrieron por la playa hasta llegar junto al hombre del cuchillo.

Aun así, era mejor que la mandíbula del cocodrilo.

El hombre levantó el arma al ver que se aproximaban a él. El reptil corría a través de la playa. El hombre echó a correr torpemente hacia una pequeña faluca que no habían visto antes.

—¡No! ¡Espere, por favor! —gritó Amy.

Se subió en ella ágilmente y comenzó a remar. La muchacha lloraba a lágrima viva, pues el terror se había apoderado de ella. No le quedaban esperanzas y no había adónde ir.

Pero el hombre estaba remando hacia ellos, no se estaba alejando, y gritaba algo en árabe.

Corrieron hacia él lo más rápido que pudieron y se metieron en el agua. Era como si sus pies fuesen de plomo. El cocodrilo se estaba aproximando a la orilla, si se metía en el agua, entonces estarían perdidos. Amy estaba convencida de ello y, por la cara aterrorizada de Dan, supo que él también se había dado cuenta.

El hombre estiró los brazos y, con una mano, agarró a Dan por la camiseta y con la otra sujetó a Amy. La muchacha se sintió como un pez que acabara de ser pescado cuando el extraño los levantó en el aire.

Se tumbaron en la embarcación, tratando de recuperar el aliento. La vela ondeó al atrapar una brisa y todos oyeron un «plop» cuando el cocodrilo entró en el agua. El hombre no dijo nada: su boca era tan sólo una sombría línea cuando sujetó el timón. Viró el barco y éste comenzó a deslizarse por encima del agua, directo hacia el centro del río, donde, aprovechando una corriente, cogió velocidad. Estaban todos inmóviles, esperando cualquier movimiento alrededor de la embarcación.

De repente, el hombre sonrió y, mirándolos, les dijo:

—Todo bien.

Amy temblaba de arriba abajo. Miró a Dan; se habían salvado por los pelos. Se apoyó en el suelo para incorporarse y tocó algo húmedo y pegajoso. Se miró las manos y comprobó que era sangre.

Estaban en medio del Nilo con un extraño que llevaba un enorme cuchillo y tenía el barco lleno de sangre.

—Ve... ve... venimos en son de paz —explicó la joven.

El hombre se arrimó a ella. Su mirada era sombría y vacía. Extendió su fuerte mano y señaló a Dan. Amy se tiró encima de su hermano tratando de protegerlo.

—¡No! —exclamó.

—¡Sí! —gritó el hombre—. ¡Red Sox!

—¿Red... qué?

Señaló la camiseta de Dan.

—Bos-ton. Series mundiales 2004 —respondió el hombre—. ¡Fenway Park! —exclamó, señalándose a sí mismo.

Dan se incorporó, parpadeando asombrado mientras asimilaba las palabras del extraño.

—¿Estabas allí? ¡Increíble!

—¡Curt Schilling!

—¡Manny Ramírez! —Con una sonrisa radiante, Dan se volvió hacia su hermana—. Béisbol, otro idioma universal.

—¿Recuerdas lo del cuchillo? —susurró Amy.

Entonces Dan comenzó a reír a carcajada limpia. Había sucedido: su hermano había perdido la cabeza.

—¿No lo hueles? —dijo él—. Es pescador. ¡Mira!

Sí, ahora sí lo olía. A su lado había un cubo lleno de pescado. Cuando lo vieron, él acababa de limpiarlos.

—¿Luxor? —preguntó el hombre. Entonces Amy vio amabilidad en su sonrisa. La muchacha asintió.

El río era de un color azul oscuro, similar al de la tinta. Amy suspiró mientras su corazón se tranquilizaba. Levantó la cabeza y miró al cielo. Buscó la Osa Mayor entre todas las estrellas. Se sintió reconfortada. Desde ese punto, podía ver la luz de la luna reflejada en la arena a la orilla del río por la parte de Tebas. Parecía nieve que se extendía hasta los acantilados. Un poco más adelante, vieron el brillo de las luces del gran Templo de Luxor.

—Impresionante —dijo la joven.

—Impresionante —dijo también el pescador.

Por lo visto, la palabra «impresionante» también formaba parte del lenguaje universal.

El hombre los dejó en un muelle próximo al templo de Luxor. Con una enorme sonrisa en la boca y diciéndoles adiós con la mano, antes de partir, exclamó:

—¡Adiós, Bostons! ¡Hasta luego, cocodrilo!

—¿Venimos en son de paz? —preguntó Dan, burlándose de su hermana—. Era egipcio, no marciano...

Amy no pudo contener una risa tonta.

—¿Cómo iba a saber que era fan de los Sox?

—¿Adónde vamos ahora?

—Theo y Nella ya deberían haber regresado —respondió ella—, tal vez estén esperando en el muelle. Tendremos que explicar por qué no hay barco.

Pero cuando llegaron al muelle, el barco estaba allí. Nella y Theo estaban en la cubierta bebiendo té.

—¿Habéis ido a dar un paseo? —preguntó Nella.

Dan y Amy se miraron. ¿Deberían contarles lo del superfán de los Sox?

—Sí —respondió Dan—, a dar un paseo.

Dejaron a Theo y a Nella en la cubierta, bebiendo *chai* y mirando el cielo nocturno, y entraron en el barco.

—Por lo menos, Jonah nos ha devuelto el barco —opinó Amy.

—Por lo menos, está de camino a París —añadió Dan—. La cuestión es: ¿deberíamos ir nosotros también?

—He estado pensando en eso. Cuando fuimos a París, leí sobre la historia del museo del Louvre. Antes era un palacio, así que cuando Drovetti habla del *palais de L*, probablemente se refiera al Louvre. Recuerda, Bae nos dijo que este estudioso envió la Sakhet al Louvre y un Ekat se las arregló para traerla de nuevo. No creo que haya una cuarta Sakhet. Después de todo, estos tres mapas conducen a la tumba de Nefertari. Ahora lo que hay que hacer es descifrar los jeroglíficos para saber cómo seguir.

Dan frunció el ceño.

—Katherine no nos está ayudando demasiado. ¡Y Grace tampoco!

—Bueno, Katherine menciona Asuán en su poema. Guiza, Asuán, Tebas y El Cairo, ¿recuerdas? Comenzamos en la capital. Napoleón encontró la tercera Sakhet en una pirámide en Guiza. La segunda la encontró Howard Carter en la tumba de Hatshepsut en Tebas. Asuán es la única ciudad que falta. Seguro que la pista final está allí.

—Pero no tenemos la certeza —opinó Dan—. Bae encontró la tercera Sakhet en El Cairo, pero eso fue cientos de años después de que Katherina la escondiese. Podría haber sido robada, vendida y revendida. Podría haber venido de Asuán.

—Es posible —admitió Amy vacilante—. ¿Recuerdas lo que Bae dijo sobre Katherine, que se sentía infravalorada porque era una mujer? ¿No te has dado cuenta de que Katherine nos ha estado guiando a través de todas las faraonas, reinas y diosas del antiguo Egipto? Siempre son mujeres: Sakhet, Hatshpesut, Nefertari... Incluso la pista de Guiza se encontró en la pirámide de la reina.

—Ahora que me acuerdo —dijo Dan observando los jeroglíficos de nuevo—. Cuando Theo nos llevó a la visita, vi que en la parte en la que Isis le da la mano a Nefertari, el símbolo que hay sobre Isis era el mismo que éste.

»Seguro que esto significa Isis.

—¡Otra diosa! —Amy empezó a hojear su libro—. Los antiguos egipcios creían que cuando Isis se enteró de que su marido, Osiris, se había muerto, sus lágrimas hicieron que el Nilo se desbordara, volviendo la tierra fértil para su cultivo. —Levantó la mirada. Los ojos le brillaban—. «Otra sus lágrimas vierte trayendo el verdor.»

—¿Y qué me dices de «donde el corazón de su corazón fue encontrado»? —preguntó Dan.

Amy continuó leyendo, el pulso le iba cada vez más rápido.

—Osiris fue descuartizado por Seth. Isis encontró su corazón en la isla de File. Allí es donde se encuentra el templo de la diosa.

Dan señaló con un dedo cada uno de los jeroglíficos.

—Isla. Isis. Obelisco.

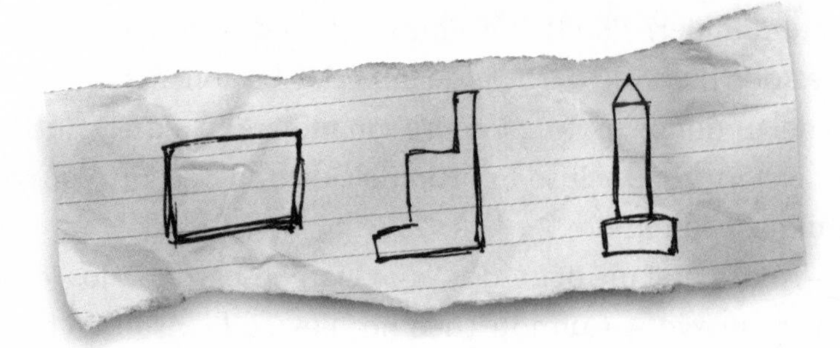

»¿Dónde está File? —preguntó a continuación.

—¡Asuán! —exclamó Amy—. Todo apunta hacia allí. —Cerró el libro con un golpe seco—. La cuestión es que no recuerdo si Grace había escrito algo sobre Asuán. ¡Ojalá no hubiéramos perdido el libro!

—¿Hubiéramos? —preguntó Dan.

—Está bien, fui yo —admitió Amy cada vez más enfadada—. Si quieres echarme la culpa, adelante.

—Bueno, tal vez si me hubieras dejado echar un vistazo al libro, sabríamos adónde ir ahora —respondió su hermano.

—Eso no es justo —se defendió ella—. A ti no te gusta investigar como a mí.

—Yo sé leer —dijo Dan amargamente—. Y además, a diferencia de ti, yo recuerdo las cosas. Apenas me dejaste hojearlo.

—Siempre dices que esas cosas son aburridas —respondió la joven—. ¿Cómo iba yo a saber que por una vez en tu vida ibas a querer leer una guía de viaje?

—No era una simple guía. ¡Era la guía de Grace! —exclamó el muchacho, levantando la voz—. Quieres quedarte con todo lo que Grace nos dejó. Tienes el collar y ahora la Sakhet... dos cosas que tampoco piensas soltar. ¡Hasta parece que también quieres quedarte los recuerdos para ti!

—Eso no es verdad —protestó Amy—, ¡y es muy injusto!

—Bueno, pues ella no es sólo tu abuela, ¿sabías? —dijo Dan rojo de ira—. ¡La quieres toda para ti!

—¡No seas ridículo! —gritó su hermana, que sintió cómo se le subía la sangre a la cabeza—. ¡Es lo más tonto que he oído en mi vida!

—Tú eres la que decide si era buena o no. Tú eres la que decide si nos quería o no. Si vas a decirme que mi abuela no me quería y que tenía en mente un plan macabro, más te vale que lo respaldes con hechos —respondió Dan enfurecido—. Te da tanto miedo cometer otro error que sólo piensas en volver por donde has venido. ¡Que Ian Kabra sea malo no quiere decir que todo el mundo lo sea!

Amy suspiró. Nunca había visto a Dan actuando de esa manera. Habían discutido y él la había insultado en otras ocasiones, pero nunca así. Era un niño sin maldad. Sin embargo ahora se lo veía triunfante, como si hubiese marcado un tanto, tal como se había sentido ella en la fortaleza Ekat el día que lo hizo llorar.

¿Qué les estaba pasando? ¿Era éste el efecto que la búsqueda de las pistas causaba en ellos? Las traiciones y los secretos estaban a la orden del día en su nueva vida y todo les estaba influyendo, enfrentándolos entre sí.

Los dos estaban actuando como personas que ella no reconocía. Gente que normalmente repudiaba.

Amy se dio cuenta de que estaban actuando como Cahills.

CAPÍTULO 17

Eran sólo las nueve de la mañana y la temperatura en Asuán superaba sin duda los treinta grados. En el aeropuerto, Amy sentía el sudor resbalando por su espalda, así que se quitó la mochila y la apoyó en un hombro. La bolsa golpeaba su riñonera con cada paso que daba. No iba a protestar. Si lo hiciera, Dan le lanzaría una mirada de disgusto y la llamaría enclenque, y entonces ella podría responsabilizarse de sus acciones. Aunque a lo mejor no la llamaría nada, porque como no se hablaban...

«Plaf, plaf», golpeaba la mochila en la riñonera. La muchacha caminaba con dificultad detrás del grupo. Nella iba la primera, directa a la parada de taxis. Theo había llamado a Hilary para que los ayudase y ella les había recomendado el Old Cataract Hotel, «donde siempre se alojaba Grace cuando iba a Asuán, gorrioncillos... *Saladin*, bonito, saca tus uñas de mi brazo, muchas gracias...».

Detrás iba Dan, tratando de mantener las distancias entre él y Amy, cuanto más mejor. Theo caminaba delante de Amy, intentando localizar sus gafas de sol en el bolsillo de su camisa.

Oleadas de turistas que recogían sus equipajes se extendían frente a ellos; un guía turístico gritó:

—¡Por aquí, por favor! —mientras otro montón de turistas caminaba hacia una hilera de autobuses.

A Theo se le cayeron las gafas de sol al suelo y se agachó para recogerlas, entonces Amy tuvo que pararse en seco. Fue en ese momento cuando sintió que alguien chocaba contra ella desde detrás. Notó un roce en su riñonera, así que intentó moverla con la mano, pero, para su sorpresa, se encontró con otra mano.

—¡Eh!

Sintió que le tiraban de la riñonera. La multitud la aplastaba, no podía volverse, pero tampoco podía caminar hacia adelante. El pánico se apoderó de ella.

—¡Socorro! —gritó, pero nadie la escuchó. Theo no la vio, estaba muy ocupado mirando a Nella. Amy tenía la sensación de estar siendo abrazada por miles de serpientes retorcidas. No era capaz de respirar. Hacía demasiado calor y los cuerpos que la rodeaban la tenían atrapada. No podía liberarse.

—¡A... a... ayuda! —Su voz daba pena, era apenas un gemido.

Entonces vio a Dan volverse. Sus ojos se encontraron con los de su hermana, que reflejaban pánico. Supo inmediatamente que tenía problemas. Se obligó a caminar hacia ella.

—¡Dan!

Ella intentó moverse hacia él y casi se cae.

—¡Ayúdame, Dan! ¡Mi riñonera!

De repente, el brazo del muchacho apareció entre la multitud, la agarró de la muñeca y empezó a tirar lo más fuerte que pudo, llegando incluso a desviar a una mujer de su camino. Amy sintió que la presión en su riñonera disminuía.

Dio media vuelta y miró la multitud de arriba abajo. No eran serpientes que se retorcían, sino una pandilla de turistas sudorosos que estaban ansiosos por llegar a los autobuses. Con el rabillo del ojo, vio que alguien salía del grupo, pero era tan sólo una pareja de ancianos: un hombre gordo que llevaba un sombrero de paja y una mujer que rebuscaba en su abultada maleta. A Amy le llamó la atención el brillo de la serpiente del anillo de plata de la mujer.

—¡Vosotros dos! ¡Apresuraos! —Theo estaba de pie, al lado del taxi, que tenía la puerta abierta.

Amy se dejó caer en el asiento de atrás, al lado de Dan.

—Eh, alguien ha intentado rajar esto desde atrás —dijo Dan.

Amy se desabrochó la riñonera con los dedos temblorosos. Vio la marca de un cuchillo que casi llega a cortar la tela. Un escalofrío le recorrió la espalda al ver la señal en el tejido.

—Ha estado cerca.

—Tienes que vigilar tus pertenencias en las multitudes —aconsejó Theo—. Me alegra ver lo rápido que has reaccionado.

—En realidad fue gracias a Dan —respondió la muchacha.

—Sí, parece que he conseguido hacer algo bien —añadió éste.

Theo miró por la ventana.

—¿Por qué no dejamos las maletas en el hotel y vamos a coger el barco a isla Agilika ahora mismo?

—No entiendo —dijo Dan—, pensaba que la isla se llamaba File. La guía decía que el templo estaba allí.

—File es el nombre del lugar, pero Agilika es la isla —respondió Theo—. La isla de File se encuentra completamente hundida en el agua desde la década de los sesenta.

—¿Qué? —preguntó Amy sobresaltada. ¿Estaría la pista bajo el agua?

—Sucedió cuando se construyó la Presa Alta. Incluso antes de eso, tras la construcción de la primera presa en el año 1902, la isla se hundía durante ciertas partes del año. De hecho, se ve perfectamente a través del agua.

—¿Y qué hicieron con los edificios de la isla? —preguntó Amy.

—Los salvaron y los trasladaron a Agilika —explicó Theo—; además, moldearon la isla para que fuese exactamente igual que File. Es lo más parecido que llegaréis a ver de la verdadera isla. Lo único que ha cambiado es la propia isla. Veréis el templo de Isis tal como estaba en File.

—¿Quieres decir que la verdadera isla de File aún existe, sólo que está bajo el Nilo? —preguntó Dan.

Theo asintió.

—Bajo el lago que creó la presa, pero ahora ya no hay nada que ver allí.

Theo y Nella comenzaron a hablar y Amy se dirigió a Dan en un tono de voz bajo. Prácticamente le había salvado la vida, así que era muy difícil seguir enfadada con él.

—Aún tenemos una oportunidad —susurró ella—. La carta de Katherine decía que el pilar rosado mostraría una sombra a mediodía. Dado que los edificios están colocados en la misma posición, la misma sombra caerá en el mismo lugar del «largo brazo protector», sea lo que sea eso. Si tenemos suerte, la pista de Katherine seguirá allí.

—Y si no, no tendremos más remedio que empezar a bucear —respondió él.

El taxi los dejó justo enfrente del Old Cataract Hotel, en un precioso enclave del Nilo. Theo se ofreció para hacerse cargo de las maletas y «distribuir un poco de *baksheesh*». Cuando volvió al taxi, un botones corrió hacia él y le entregó un trocito de papel. Theo leyó la nota y frunció el ceño; después se la guardó en el bolsillo de la camisa.

—¿Qué era eso? —preguntó Amy, mientras él se colocaba en el asiento delantero.

—Nada. Sólo... una nota de bienvenida de la recepción.

Dan se acercó a él y sacó el papel del bolsillo de Theo. Le echó un vistazo rápido.

—Pues vaya bienvenida —dijo él, mostrando la nota a Amy y a Nella. En la parte superior del papel había un dibujo egipcio de Osiris, el dios del inframundo. Debajo había un mensaje:

¡Tanta arrogancia
puede ser mortal!

—No quería que vieseis otra de estas notas tontas —admitió Theo.

Dan arrugó el papel.

—No importa.

Aunque, en realidad, sí que importaba. Pensaba que el autor de los mensajes era Jonah, pero en esos momentos él debía de estar camino de París.

—Los muelles están aquí —dijo Theo—. Hay que darse prisa, el ferry va a salir.

Echaron a correr y, cuando llegaron al barco, aún les sobraban algunos segundos. La nave se alejó del muelle. Ahí en Asuán, el Nilo se veía aún más bonito. El color se parecía más al esmeralda y estaba lleno de veleros blancos. Había enormes cruceros amarrados allí cerca llenos de turistas que, apoyados en las barandillas, sacaban fotos y señalaban cosas. Dos garzas caminaban delicadamente entre los juncos. Al verlas, Amy recordó algunas pinturas que había visto en la tumba de Nefertari. Lo antiguo y lo nuevo colisionaban en uno de esos asombrosos momentos que ella estaba empezando a reconocer como parte de Egipto.

—Desembarcaremos en la parte sur de la isla, pero no está demasiado lejos del templo —informó Theo—. ¿Conocéis la historia de Isis?

—Estaba casada con ese tipo, Osiris, pero él la palmó y ella perdió los papeles, así que empezó a llorar y no paró hasta que se formó un río.

—¡Increíble! Eso es exactamente lo que dicen los jeroglíficos —exclamó Theo.

El barco llegó a puerto, y los muchachos siguieron a Theo hasta el templo de Isis. Era un complejo enorme, alto y amplio, con relieves grabados en la piedra. Caminaron por la columnata atravesando las hileras de columnas.

Dan miró a su alrededor.

—¿Dónde está el obelisco? ¿No hay ninguno por aquí?

—Había dos —dijo Theo—; los mandó construir Ptolomeo VIII, fabricados en granito rosado. Estaban dañados. Uno de ellos se vino abajo, así que los retiraron en el siglo diecinueve; bueno, los robó o compró un inglés, depende de cómo lo entendáis vosotros.

Amy estaba alicaída. Los obeliscos... los pilares rosados... no estaban allí. Ahora no había nada que produjese esa sombra. ¿Cómo iban a encontrar la pista?

Theo prosiguió con su explicación.

—En la vieja isla, el Nilo crecía una vez al año, así que construyeron los muros para proteger los templos. Ésa es una de las razones por las que el templo se conserva así de bien.

—Pero aquí no hay muros —puntualizó Amy.

—No fue necesario trasladarlos —explicó el joven guía—. Como ahora está la presa, el Nilo ya no crece tanto.

Theo continuó su camino con Nella. Amy, cansada, se dejó caer sobre un peldaño de escalera.

—¿Qué vamos a hacer ahora? —preguntó—. El obelisco ya no está ahí.

Dan se sentó a su lado.

—Ni los muros... ¿no crees que ellos deben de ser el «largo brazo protector»?

—¿Por qué nos ha hecho venir Grace si la presa ha inundado la isla? —se preguntaba Amy—. Seguro que ella ya lo sabía. Además, este lugar es enorme. No sabría por dónde empezar.

—Seguro que nos dejó otra pista —respondió Dan—. Sólo que aún no la hemos encontrado.

Hubo un corto silencio. El hielo se había roto, pero el aire entre ellos aún estaba helado, a pesar del aplastante sol.

—Dan, no podemos permitir que esto nos pase. Yo no quiero que nos convirtamos en Cahills malos —dijo Amy con un hilo de voz—. Sólo nos tenemos el uno al otro. No puedo seguir adelante sin ti.

—Yo siento lo mismo —confesó Dan—. No puedes seguir adelante sin mí.

Amy se rió. Ella se estaba haciendo más fuerte, pero su hermano también. Tal vez los cambios no fuesen tan malos. Si conseguían arreglárselas para seguir siendo una familia los dos solos, seguramente también aprenderían a ser Cahills.

CAPÍTULO 18

Esa noche, Amy no pudo dormir. Las imágenes colisionaban en su cabeza. Templos y tumbas, cocodrilos y leones. Los ojos oscuros y la brillante sonrisa de Ian Kabra. El ataque de pánico que le dio en el aeropuerto cuando la muchedumbre la rodeó. La cara decidida y resuelta de su hermano al sacarla de entre la multitud. La pareja de ancianos, la mujer que miraba en su maleta. La luz que resplandecía en el anillo de plata de la mujer.

El sueño ya se estaba apoderando de ella cuando, justo antes de caer dormida, vio la cara de Grace que le sonreía y le decía: «Confía en la gente, pero mantén tus cosas bajo llave».

Amy se despertó en medio de la noche. En realidad no había oído un ruido, sino que lo había recordado. Luchó contra la fuerza del placer del sueño.

Dejó caer la mano al lado de la cama. Tenía el hábito de dormirse tocando de su riñonera, que estaba en el suelo. Allí estaba, el afilado ángulo de la base de la Sakhet sobresalía como siempre. Volvió a acomodarse en la cálida almohada.

«... pero mantén tus cosas bajo llave.»

Amy volvió a echar la mano y movió los dedos alrededor de la base para tocar la Sakhet. Sus dedos se encontraron con el vacío. La estatua no estaba allí.

Con el corazón a cien por hora, Amy se despertó completamente. Se levantó, palpó el suelo y miró debajo de la cama. Nada.

La ventana estaba abierta, pero ella no recordaba haberla dejado así. Corrió a echar un vistazo.

La luna estaba en lo alto del cielo e iluminaba el césped de fuera como si fuese la luz de un estadio. Fue fácil ver a Theo, con su mochila en la mano, corriendo a lo largo del camino de entrada. Más allá, Amy vio las luces de un coche iluminando el aparcamiento.

La joven no se paró a pensar. Abrió más la ventana y salió. Sus pies descalzos tocaron la fría tierra. Esquivó los arbustos y cuando llegó al césped, echó a correr.

Ya era demasiado tarde cuando se dio cuenta de que necesitaba ayuda. Theo iba en dirección a ese coche; ¿podría ella detenerlo? Tendría que golpearlo justo en las rodillas...

Oyó pasos pesados detrás de ella. Nella corría hacia Theo. Su rostro mostraba enfado y determinación. Sus piernas se movían rápidamente bajo los pantalones y la enorme camiseta de Pearl Jam que usaba para dormir.

Se tiró encima de Theo haciéndole un placaje que podría abrirle las puertas de la Liga Nacional de Fútbol Americano. El muchacho cayó al suelo con un grito de dolor.

Amy pasó por delante de ellos y siguió hasta llegar al coche. Para su sorpresa, Hilary estaba al volante, boquiabierta al ver a su nieto en el suelo con Nella sentada sobre su pecho.

—¿Qué pasa, gorrioncillos? —Hilary estaba pálida; aun así, trató de sonar alegre.

Amy metió la mano por la ventanilla y apagó el motor del coche; después se guardó las llaves en el bolsillo.

—Averigüémoslo —sugirió la joven. Se asombró al ver lo fría que podía ser. Cuando te enfadabas lo suficiente, no había que esforzarse mucho para ser valiente.

—Miau. —Amy oyó el suave sonido y su corazón se animó—. *¿Saladin?* —Se acercó al asiento trasero y recogió el transportín del gato.

Sujetó a Hilary del codo con firmeza y, con ella, se dirigió hacia Theo y Nella.

La cara de Theo mostraba dolor.

—¿Era necesario que me golpeases con tanta fuerza? —protestó él.

Nella se inclinó hacia él y le susurró en la cara:

—¡Tanta arrogancia puede ser mortal, idiota!

Theo estaba sentado en el suelo del hotel cuando Amy sacó la Sakhet de su mochila. Con aire remilgado, Hilary descansaba en una silla.

—Estoy segura de que podemos arreglar este malentendido —sugirió ella—. Si Theo ha cometido algún error, yo puedo hacerme cargo de ello.

—Yo no estaría tan segura —respondió Amy.

—¿Podríais darme al menos un poco de hielo para mi tobillo? —preguntó Theo lastimero.

—Por supuesto —respondió Nella, que fue a buscar el cubo de hielo y lo vació en la cabeza del joven.

—Gracias —respondió él.

—No hay de qué —respondió la niñera dulcemente—, traidor.

—¿Qué hacemos con ellos? —preguntó Dan, que sujetaba con su mano la lámpara de la mesilla de noche, por si Theo trataba de escaparse. Estaba dispuesto a plantársela en la cabeza si era necesario.

Aunque no parecía que Theo tuviese ganas de darle la oportunidad de hacerlo, pues se veía bastante deprimido y apagado.

—Está claro que hay que llamar a la policía —opinó Nella.

—Totalmente de acuerdo —respondió Dan.

—¿No estaréis hablando en serio? —Hilary parecía horrorizada—. Theo, están bromeando, ¿verdad?

—A la policía no —suplicó el muchacho—. Por favor, robar la estatua se castiga con la pena capital. No querréis que vaya a la cárcel, ¿verdad? ¡Estaré allí mil años!

—Así algún arqueólogo podrá estudiarte —respondió Dan.

—No lo entendéis —respondió Theo—. Vosotros ni siquiera queríais la estatua. Era tan sólo parte de vuestro tonto juego, esa búsqueda del tesoro. ¡No teníais ni idea de lo que teníais!

—¡Theo! —gritó Hilary—. Cuando me pediste que te viniese a recoger, nunca pensé que... —Se llevó las manos a la boca rápidamente.

—Oh, por favor —añadió Nella, cruzando la habitación hacia donde estaba el teléfono.

—Oíd, lo siento, ¿vale? —Theo continuó—. Después de todo, vosotros ya sabéis lo que hacen los egiptólogos. Estudian años y años, bajan a las tumbas, investigan minuciosamente cada papiro y... ¿qué consiguen con ello? Un trabajo como ayudante de conservador con un sueldo que ni alcanza para pagar el alquiler.

Hilary se cubrió la cara con las manos.

—Oh, Theo. Si me dejáis que me lo lleve, os aseguro que... Os recompensaré.

Amy miró fijamente la mano de la mujer.

—Bonito anillo, Hilary.

—Gracias, querida.

—¿Cuándo llegaste a Asuán?

—Acabo de llegar, muchachos. Theo me pidió que viniera, pero no sabía para qué.

—Así que no tenías ni idea —dijo Amy—. Pues sí que es extraño. ¿Cómo he podido verte en el aeropuerto esta mañana? Estabas al lado de un anciano, creías que así parecería que estabais juntos. ¡Tú eres la que intentó rajar mi riñonera! —Se volvió hacia Theo—. ¡Y tú fingiste recoger tus gafas del suelo para que ella pudiese hacerlo!

Hilary soltó una risa falsa.

—¡Qué imaginación!

—Está bien, abuela, déjalo ya —dijo Theo cansado—. ¿Realmente piensas que se lo van a creer?

—¡Lo harían si tú cooperases! —susurró Hilary.

Al ver la expresión retorcida del rostro de la mujer, Amy volvió a ponerse furiosa. Había sido traicionada una vez más. La habían tomado por tonta.

—¿Cómo pudiste hacer algo así? —preguntó—. ¿Cómo pudiste traicionar a Grace? ¡Ella era tu mejor amiga!

—¡Exacto! —gritó Hilary—. Ella tenía todo el dinero del mundo, pero yo era cada vez más pobre. Yo no estaba en su testamento. ¿Por qué no puedo yo heredar una parte de sus bienes?

—Eres una anciana avara —respondió Nella moviendo la cabeza—. Eso es muy malo para el karma.

«Una vez más», pensó Amy enfadada. Había confiado en

alguien y se había equivocado completamente. Ahora no sabía si debía enfadarse con Hilary o consigo misma.

Theo suspiró.

—Mirad, siento mucho haber robado vuestra estatua —dijo a Amy y a Dan—, pero cuando alguien te ofrece un millón, ¿qué otra opción tienes?

Nella levantó el teléfono.

—Espera un segundo —sugirió Dan—. ¿Quién te ofreció un millón?

—Una mujer rusa medio loca.

Nella colgó el teléfono.

—¿Dónde viste a esa mujer rusa? —preguntó Amy.

Theo parecía desconcertado.

—En la tumba de Nefertari. Me encontré con ella en la antecámara.

—¿Así que eras tú el que hacía ruidos de momia? —preguntó Dan.

—Pensé que... que si os asustaba lo suficiente, me daríais la Sakhet para que la pusiese a buen recaudo —respondió Theo.

—También fuiste tú el que envió esos mensajes de advertencia, entonces —dijo Nella, con los ojos entrecerrados como rendijas—. ¡Admítelo!

Theo asintió cabizbajo.

—Lo siento.

—¡¿Dices que lo sientes?! ¿Encierras a mis dos niños y dices que lo sientes? —gritó Nella—. ¡Ahora verás cuánto lo siento yo! —exclamó mientras marcaba los números de teléfono.

—Espera un segundo, Nella —dijo Amy—. Creo que podemos hacer un trato con ellos. —Se volvió hacia Theo y Hilary—. No os denunciaremos a ninguno de los dos si nos hacéis un favor.

CAPÍTULO 19

El arqueólogo rubio, o quizá ella debería llamarlo «el ladrón», parecía nervioso. Probablemente porque estaba traicionando a dos niños cuya abuela sólo les había dejado una loca competición que iban a perder y una estatua de valor incalculable. Y además, gracias a él, habían perdido la estatua también.

«Mala suerte, así es la vida», pensó Irina.

La guía había resultado ser un callejón sin salida. No había ninguna pista, sólo notas en los márgenes con cosas estúpidas como «vistas espectaculares» o «aquí se come bien». Nada sobre pistas en Asuán. Vaya pérdida de tiempo. Ya se había deshecho del libro. Tener los pensamientos de Grace tan cerca, por muy triviales que fuesen, le despertaba el tic del ojo.

Irina se aseguró de que el café donde Theo la esperaba era seguro. El joven estaba allí sentado, golpeando con los dedos la pequeña mesa de azulejos y con la bolsa entre los pies. Sabía que nadie la había seguido. Había pasado tres veces por delante del café para tener la certeza.

Se sentó en una silla al lado de él.

—¿Tienes la Sakhet?

—¿Tienes tú el dinero?

Ella inclinó la cabeza.

—Tal como lo acordamos, haré una transferencia a una cuenta suiza cuando haya autenticado la estatua.

No tenía la mínima intención de transferir el dinero. No necesitaba la estatua, sólo lo que había en su interior. Los Lucian habían estado buscándola durante siglos. No estaba muy segura de por qué, pero lo sabría cuando la tuviera.

—Antes de nada, la examinaré en el lavabo para señoras.

Cogió la pequeña bolsa y después anduvo entre las mesas de la cafetería hasta llegar al servicio. Una vez allí, echó el cierre a la puerta.

Sujetó la estatua con sus manos y le dio la vuelta. Era una Sakhet, eso estaba claro, tenía la cabeza de león. Era de oro, tal como la había descrito Napoleón, el gran Lucian. Sus ojos eran esmeraldas, supuso ella, pues no tenía mucha idea sobre piedras preciosas. Todo parecía estar en orden. Irina golpeó la figura suavemente, tratando de descubrir el truco que la abría. Entonces notó una delgada grieta en la melena del león. Deslizó un cuchillo muy fino (¡qué útil le había sido ese cuchillo durante tantos años!) en la grieta y la cabeza empezó a girar suavemente en el sentido de las agujas el reloj, revelando un pequeño compartimento en su interior. Puso la estatua boca abajo y la agitó. Un papiro enrollado cayó en sus manos:

Guiza, Tebas, Rabat y El Cairo,
esta tierra de reinas y diosas os ha de guiar.
Directos al lugar donde los camellos suelen aguardar,
en el estrecho donde los burros tienden a descansar.
A la escalera del palacio tendréis que llegar
y en la bahía, a media noche, cuando la luna veáis alumbrar
en el muelle mi respuesta os habrá de esperar.

Sonaba como una gran tontería, pero este tipo de notas en esa competición nunca tenían sentido, hasta que llegabas al lugar al que te habían enviado. Rabat era una ciudad de Marruecos. No cabía duda de que estaría todo mucho más claro cuando llegase allí. Con cuidado, Irina cerró el compartimento secreto, guardó el papel en su bolsillo y la estatua en la bolsa.

Se abrió paso de nuevo hacia las mesas y tiró la estatua a los pies de Cotter.

—Me sorprende que hayas intentado timarme —respondió ella—. No me parece muy buena idea. Esta estatua es falsa.

—Te aseguro que es una verdadera antigüedad.

—¡Ya! Debes de pensar que me chupo el dedo. No verás un duro. —Irina se levantó y se marchó apresurada.

Se preguntaba si saldrían vuelos directos a Rabat desde el aeropuerto. Esa antigua ciudad era su siguiente parada.

Ya en el taxi, se felicitó a sí misma. Había superado ese momento de sensiblería en la tumba de Nefertari. No podía permitirse volver a ser tan débil de nuevo.

Cuando tuviera las treinta y nueve pistas, tal vez pudiera ser un poquito generosa y... Bueno, generosa no, no era necesario tirar la casa por la ventana. Quizá un poquito... menos estricta. Hasta entonces, no habría más distracciones por su parte. Ah, y no tenía intenciones de pisar ninguna otra tumba. Había demasiados fantasmas, demasiados recuerdos...

El ojo de Irina empezó a moverse nerviosamente.

—Al aeropuerto de Asuán. ¡Empecemos con buen pie!

CAPÍTULO 20

—Ha funcionado —dijo Dan—. Menos mal, ¿no?

—Perfecto —respondió Amy. Irina había despegado rumbo a Marruecos y habían visto a Theo y a Hilary cogiendo el avión de vuelta a El Cairo.

—¿Por qué estáis tan deshinchados? —preguntó Nella—. Deberíais estar celebrándolo. Se os ha ocurrido este plan genial de comprar unos viejos papiros; Theo copió la letra de Katherine a la perfección, después encontramos una estatua falsa perfecta e hicimos el agujero... Gracias a nuestra brillantez colectiva, acabáis de enviar a vuestro peor enemigo hacia una misión imposible. Además, la que debería estar llorando soy yo. Me han roto el corazón. —Nella jugueteó con su cuchara y después volvió a llenarla de yogur y miel—. Mmm...

—Tu corazón estuvo roto durante unos cinco minutos —respondió Amy.

Nella se encogió de hombros.

—¿Qué quieres decir? ¿Que tengo que dejar de comer? —protestó, señalando a Amy con su cuchara—. Nunca te arrepientas de confiar en alguien porque es prueba de que tienes buen corazón, pero si esa persona resulta ser un gusano mentiroso... no voy a perder el tiempo llorando, porque yo soy fabulosa.

Amy sabía que Nella le estaba diciendo que se olvidase de Ian. ¿Sería posible tomar prestada un poco de la confianza que Nella tenía en sí misma? Ella nunca se había sentido fabulosa. En ocasiones, si tenía suerte, podría alcanzar el estatus de «no estoy mal».

—Era un plan brillante —dijo Dan—. Sabías de sobra que Irina no estaba dispuesta a entregar un millón de dólares.

—Es que ella no tiene tanto dinero —respondió la joven Cahill—. Iba a timar a Theo. Sólo estaba interesada en el secreto que la estatua guardaba y lo quería tanto que ni siquiera se detuvo a pensar en lo fácil que le había resultado conseguirlo.

—Ésa es la ley fatal de los Lucian —opinó Dan—. Se creen demasiado inteligentes.

Nella se metió en la boca la última cucharada de yogur y se estiró.

—Creo que me voy a acercar a la piscina un ratito. Os sugiero que os bajéis del tren de la aventura por un día, ¿qué os parece?

—He estado pensando —dijo Dan después de que Nella se fuese—. Creo que Grace nos preparó para esto. ¿Recuerdas cuando nos llevó a pasar aquel fin de semana a Nueva York? Fuimos al Museo Metropolitano de Arte y nos pasamos un montón de horas en la sección de Egipto. ¿Recuerdas el Templo de Dendur?

—¡Exacto! —exclamó Amy—. Nos contó todo lo de la Presa Alta y cómo se habían inundado los monumentos que tuvieron que recuperar, como el Templo de Dendur. Aunque no me acuerdo de nada más que eso. Si nos dio alguna pista aquel día, la hemos perdido.

—Nos compró galletas recién hechas —añadió Dan—, de eso sí que me acuerdo.

Los recuerdos florecieron en el interior de Amy. Uno de entre cientos que tenía enterrados en su cabeza y en su corazón, todos relacionados con su abuela. Como cuando se sentaron en la escalinata del museo a comer galletas en aquella tarde de otoño. Recordaba los estupendos naranjos en Central Park. Grace ya había pasado alguna sesión de quimioterapia y todos pensaban que había superado el cáncer, que ya estaba bien y que viviría para siempre.

Bueno, Amy y Dan pensaban eso, porque así lo había querido su abuela. Lo pensaron tanto tiempo como pudieron.

«Qué cosas más maravillosas hemos visto hoy —había dicho Grace—. Pero algunas personas pasan demasiado tiempo en el pasado. ¡De todo lo que he visto hoy, no había nada mejor que estas galletas!» Levantó la pasta en el aire y después le dio un mordisco.

No sólo se refería a esos dulces. Amy lo sabía ahora. Hablaba de todo en aquel exacto momento, hablaba del «ahora». El estar los tres juntos, el sentarse en la escalera del museo en un perfecto día de otoño, el comer galletas calentitas...

El recuerdo no sólo le pertenecía a ella. También le pertenecía a Dan. Él recordaba ese tipo de cosas. Retales de la vida que parecían pequeños pero que en realidad eran enormes. Normalmente ella no retenía este tipo de recuerdos porque solía estar demasiado preocupada en no perder el autobús o en la mancha de chocolate de su falda nueva.

Sacó la Sakhet de su riñonera y la puso sobre la mesa.

—¿Qué hacemos con ella? —preguntó—. No me siento segura llevándola por Asuán. Te toca a ti.

En realidad lo que estaba diciendo era «Grace es de los dos».

Dan la miró a los ojos. Él ya lo sabía.

—¿Y si la dejamos en la caja fuerte del hotel? —preguntó—. Después podemos ir con Nella a la piscina y hacer algo que tú pensarás que es demasiado radical.

—¿Como qué?

Dan le mostró su sonrisa asimétrica.

—Divertirnos.

—Ah, señorita Cahill. —El director se levantó para saludarla desde su escritorio y corrió a darle la mano—. Me alegré mucho cuando recibí su llamada. Conocía muy bien a su abuela.

—¿Ah, sí?

—Grace Cahill fue nuestra huésped favorita durante muchos años. Vino por primera vez en la década de los cuarenta y desde entonces volvió al menos una vez al año durante veinte años. Ella ocupa un lugar destacado en los archivos de nuestro hotel.

—No sabía nada de eso.

—Oh, sí. Tenemos una preciosa fotografía de su abuela pintando a la orilla del Nilo. ¿Le gustaría verla? —Miró en los cajones de su escritorio—. La busqué el otro día después de hablar con usted.

Amy miró la fotografía en blanco y negro. Grace era mucho más joven y se veía más esbelta. Llevaba un pantalón y una camiseta blancos. Tenía la cabeza envuelta con un pañuelo. Estaba sentada con un caballete en algún lugar del jardín, frente al río. A su lado y pintando el mismo paisaje, había un hombre corpulento, algo mayor que ella, que llevaba un sombrero de paja.

—¿No es éste...?

—Sí, es él. El señor Winston Churchill, otro de nuestros huéspedes favoritos. El primer ministro de la Gran Bretaña durante la Segunda Guerra Mundial. Era un gran hombre de Estado y todo eso. Pero, y esto seguro que no lo sabían, también era muy buen pintor. Siempre le dijo a Grace que necesitaba que él le diera unas lecciones. Creo que esta fotografía es de los años cincuenta.

—Le agradezco que me la haya enseñado. Me estaba preguntando si podría usted guardarme algo en la caja fuerte —dijo la muchacha, entregándole la caja con la Sakhet.

—Por supuesto. —Se dio la vuelta, abrió la caja fuerte y guardó la Sakhet en su interior—. Ahora, debo pedirle disculpas —explicó el director, sacando algo de la caja—. Grace Cahill nos llamó hace aproximadamente un año y nos pidió que buscásemos un cuadro que ella había pintado una vez y nos había dado como regalo. Quería comprárnoslo. El anterior director lo tuvo en su despacho durante años, pero después, se extravió durante una remodelación. Cuando nos llamó, registramos cada rincón del hotel pero no dimos con él. Sin embargo, hoy lo he encontrado por casualidad cuando he ido a buscar esta fotografía. Ahora me gustaría regalárselo y ofrecerle mis disculpas en nombre del hotel —añadió el director, entregándole un paquete a la muchacha.

Amy lo apretó contra su pecho.

—Muchas gracias.

—¿Ves? —Amy entregó el cuadro a su hermano—. ¿Recuerdas lo que decía Grace en su postal? «No os olvidéis del arte.» ¡Pues aquí está el arte!

Era una acuarela que plasmaba el Nilo. En ella, Amy pudo reconocer dos cosas: el estilo de su abuela y el lugar donde se había pintado el cuadro. Había capturado las puntiagudas palmeras, el verdor del agua y las delicadas piernas de las lavanderas en las orillas del río.

Dan suspiró.

—Tengo el presentimiento de que me voy a quedar sin nadar.

Amy puso el cuadro boca abajo sobre la cama y empezó a doblar los clavos que fijaban la imagen al marco. Dan la miró levantar delicadamente la parte trasera del cuadro y extraer la pintura.

—Hay algo que no me cuadra en todo esto.

Dan miró la imagen fijamente, la cogió y la levantó para observarla a contraluz.

—Mira. Grace pintó esto en el cuadro de otra persona.

Amy se aproximó para examinar un garabato trazado en una esquina del cuadro.

—Es una obra de Winston Churchill —anunció la joven, con una sonrisa de oreja a oreja—. Debe de ser su forma de vengarse por haberle dicho que necesitaba que él le diese unas cuantas lecciones.

—Amy, lo que estaba haciendo era vengarse de un Cahill —dijo Dan—. Mira el cuadro de Churchill. ¿No ves cómo la luz del sol va directa a un lugar particular? Es la isla de File. ¿Ves el templo de Isis? Ésta era la verdadera isla antes de que se hundiera.

—¡Es cierto! ¡Churchill debió de pintarla para dirigir a su gente hacia la pista! Me pregunto a qué rama pertenecería.

—No tengo ni idea, pero si tuviera que adivinarlo, diría que es un Lucian —respondió Dan—. A él le iba el tema de planificar y controlar el destino y esas cosas.

—Supongo que si pintó encima sería para esconderlo —dijo

Amy levantando la imagen de nuevo—. Espera un momento. ¿Ves estas ondas que Grace pintó aquí? ¿A qué te recuerdan? —Señaló las ondas, que tenían un ligero toque naranja, ya que el sol se estaba poniendo.

Dan las miró durante un largo rato.

—Flechas —respondió—. Son flechas.

—Si sujetas el cuadro así, se puede ver la pintura de File de Churchill. Las flechas apuntan hacia esa pared.

—¡Es el brazo envolvente! —gritó Dan.

—Esto es un mapa —afirmó la muchacha—. ¡Y está apuntando a la pista de Katherine!

—Estupendo —dijo Dan desanimado—. La pista está bajo el agua. Tal vez sí que acabe nadando, pero con los cocodrilos y con esos parásitos que se incrustan en la carne.

Amy golpeó la mesa con los dedos.

—Tiene que haber una solución —pensó en voz alta.

Entonces se dio cuenta de que el cajón del escritorio estaba ligeramente abierto. Volvió la cabeza para echar un vistazo en la abertura y vio un pequeño objeto metálico en su interior.

¡Era un micrófono oculto!

CAPÍTULO 21

Se oyó un portazo en la habitación. Nella dejó su llave encima de un mueble.

—Esa piscina es mucho mejor que cualquier cóctel. Me encuentro fenomenal, no tengo nada de calor. Voy a darme una ducha y después podremos discutir dónde cenar. Sólo nos queda una noche más en Asuán y tengo algunas ideas.

Nella entró en el cuarto de baño. Dan y Amy corrieron detrás de ella y cerraron la puerta.

—¿Chicos? Eh... ya sé que después de tanta aventura nos hemos unido mucho y todo eso, pero esto ya es demasiada unión para mí, ¿vale? —protestó Nella.

Amy se acercó a la ducha y abrió el grifo al máximo.

—Alguien nos espía —dijo Amy, tratando de ocultar su voz con el ruido del agua.

—¿Que se te ha clavado una espina? No te preocupes, déjame que eche un vistazo, yo te la quito... —respondió la niñera.

—Espina no, espía —corrigió Dan—. O sea, que alguien nos vigila de forma ilegal.

—Necesitamos que salgas ahí fuera y que nos cubras durante un rato mientras averiguamos quién nos ha puesto ese micrófono —explicó Amy—. Sea quien sea, seguramente estará por aquí cerca.

—Todo lo que tienes que hacer es hablar y hablar. Hemos pensado mucho sobre esto y creemos que tienes las habilidades necesarias —añadió Dan.

—Muy gracioso, pequeño Dan, pero cierto. Cuando se trata de hablar sin parar soy la número uno —confirmó Nella.

La niñera cerró el grifo y todos volvieron a la habitación principal.

—Esa piscina es increíble —continuó diciendo, como si no la hubieran interrumpido—. Conocí a una pareja de mexicanos y claro, no pude evitar decirles lo mucho que me gustan los tacos...

—Amy abrió la ventana con cuidado, sin hacer ni un solo ruido, y ella y Dan la atravesaron.

—... y entonces ellos respondieron: «Claro, güey, si es que nuestra comida es muy madre» —dijo Nella, con un horrible acento mexicano—. Ahí fue cuando les hice mi genial sugerencia: «¿Sabéis qué es lo que os falta, sin embargo? Un buen queso azul para poner en los tacos», y claro ellos estuvieron de acuerdo: «Qué razón tienes, mi cuate, que bueno que se te ocurrió esa idea».

Con el zumbido del acento mexicano de Nella en sus oídos, los dos hermanos echaron a correr.

Fueron camino abajo hasta llegar a las palmeras, dejando atrás los jardines y dando un rodeo por la puerta principal del hotel.

—Te apuesto lo que quieras a que están en el vestíbulo —sugirió Dan—. El dispositivo tiene un transmisor sin cables, así que tendremos que examinar las orejas de todo el mundo.

—¿Y cómo vamos a hacer eso?

—Les decimos que hay una convención de bastoncillos para los oídos.

Entraron relajadamente en el hotel. El vestíbulo estaba atestado de huéspedes que se estaban cobijando del calor del mediodía.

Dan y Amy se detuvieron cerca de una columna y observaron a la muchedumbre. Al principio les pareció complicado fijarse en una sola persona. Los turistas iban de aquí para allá charlando, leyendo guías de viaje y revistas, y se pasaban periódicos los unos a los otros, descansando antes de comenzar la siguiente ronda de templos.

Dan señaló con la barbilla a un señor que les daba la espalda. Se trataba de un hombre fornido que llevaba un sombrero de paja y que sujetaba un periódico justo delante de su cara. Su grueso cuello estaba totalmente rojo de las quemaduras del sol.

—Hace cinco minutos que no pasa de página y además tiene algo en la oreja. Venga, vamos.

—Pero no lo reconozco...

—Seguro que es Eisenhower Holt disfrazado.

Amy lo siguió. Dan se acercó al hombre dando grandes zancadas y le arrancó el periódico de las manos.

—¡Te hemos cogido!

—¿Qué está haciendo, señor? —rugió el hombre con un acento inglés.

Dan le entregó rápidamente su periódico.

—Quiero decir... que su sombrero ha sido seleccionado como el mejor de la sala —le respondió—. ¡Es genial!

Amy arrastró a su hermano hacia otro lado.

—Mientras asaltabas a ese hombre, todas las personas de la sala te miraban —susurró ella—. Todas, menos ese tipo.

En una esquina, había un hombre sentado con un periódico delante de la cara. Llevaba un traje del color de un helado de vainilla con zapatos a juego. A Dan le llamaron la atención sus calcetines, que eran de color rosa brillante.

—Es él —opinó Dan—. Sólo conocemos a un idiota que puede dirigir sistemas de vigilancia de alta tecnología y preocuparse por su aspecto al mismo tiempo.

Había hecho una broma tonta, pero era la única forma de esconder lo enfadado y enfurecido que se sintió cuando vio a su tío. Alistair Oh era el único Cahill que se había mostrado un poco amigable con ellos. O al menos eso habían pensado ellos. Estaba claro que se habían traicionado mutuamente alguna que otra vez, pero al final habían decidido trabajar juntos. Alistair les había salvado el pellejo en más de una ocasión, pero había resultado ser como cualquiera de los otros Cahill: preocupándose sólo de sí mismo y dispuesto a traicionar a quien se interpusiera en su camino.

Dan se acercó a él, sujetó el periódico con un puño, y se lo quitó de delante de la cara a su tío.

—¡Sorpresa!

Alistair Oh los miró tímidamente.

—Saludos, jovencitos.

—Saludos, comadreja.

—Va siendo hora de que nos des una explicación...

—Va siendo hora de que le demos una patada en el culo —opinó Dan.

Amy se separó un momento de los otros dos, levantó un teléfono que había a su lado y marcó el número de su habitación. Cuando Nella respondió, le dijo:

—Está bien, ya puedes parar.

—¡Qué *chévere*! —respondió Nella—. Esta *chava* ya no aguantaba más...

Amy colgó el teléfono y se acercó de nuevo a Alistair.

Dan estaba frente a su tío, con los brazos cruzados.

—Soy consciente de que las cosas pintan mal —dijo Alistair.

—¿Has oído eso? —preguntó Dan—. Un muerto está hablando.

—Asombroso —respondió Amy—. Aunque supongo que querrás decir un muerto mentiroso, tramposo y traidor.

—¡Tenía una buena razón para hacer lo que hice! —exclamó Alistair—. Sólo estaré seguro mientras todos crean que estoy muerto. Ninguna otra cosa podría haber funcionado. ¿No os dais cuenta? Nuestra alianza será ahora más fuerte que nunca.

—Nosotros no tenemos una alianza —replicó Dan—, porque tú nos mentiste.

—Una pequeña y necesaria decepción. Pensadlo bien. Ahora puedo trabajar escondido. Tendréis un socio que será como una tumba. Los Kabra me creen muerto y las noticias se extenderán por todos los Cahill en poco tiempo.

—Tu tío cree que estás vivo.

—Bueno —Alistair tosió ligeramente—, tal vez él tenga sus razones, pero no se lo dirá a los demás. Después de todo, los dos somos de la rama Ekat, así que no importa lo que pensemos el uno del otro.

—Entonces ¿por qué nos estabas espiando? —quiso saber Dan.

—Sabía que habíais hablado con mi tío en El Cairo y quería saber si os habíais aliado con él. No debéis confiar en él.

—Pero en ti sí que podemos confiar, ¿verdad? —añadió Amy con desdén.

—Entonces decidiste espiarnos y, claro, si ya de paso escuchas alguna información relacionada con alguna pista y consigues arrebatárnosla, mejor que mejor, ¿no? —preguntó el joven Cahill con sarcasmo.

—No, no os la arrebataría —respondió Alistair—. Lo que haría sería ayudaros. Podemos buscar la pista juntos.

—O sea, que ahora esperas que te creamos —dijo Amy—. Ya, confiamos en ti una vez Alistair, y tú nos abandonaste.

Alistair suspiró. Agachó la cabeza y fijo la mirada en sus rosados tobillos.

—Lamento que no confiéis más en mí —dijo él. Se incorporó y miró a los niños a los ojos. Sus ojos marrones parecían sinceros—. Pero no puedo arrepentirme de mis acciones. Lo hice por la mejor de las razones, para mantener nuestra alianza.

—Deja ya de usar esa palabra —protestó Dan—. ¿Es que no lo entiendes? ¡Nosotros no nos fiamos de las comadrejas!

—Tenéis que comprender algo —añadió Alistair—. Esto es tan sólo el comienzo de la búsqueda de las treinta y nueve pistas. Habrá traiciones y otras cosas que parecerán traiciones. También habrá inversiones. Habrá victorias que se las llevará el viento. Lo que vosotros tenéis que hacer es muy simple. No importa cómo estén las cosas, vosotros debéis seguir adelante. Permitid que vuestro corazón sea el que os guíe. Si realmente creéis que yo no estoy de vuestro lado, entonces marchaos. Sin embargo, si creéis que podemos encontrar esta pista juntos, entonces quedaos.

«¿Qué hacer?», se preguntaba Dan. Todavía estaba furioso con Alistair y aún tenían los nervios a flor de piel después de la traición de Theo y de Hilary. Tal vez Amy tuviese razón... no podían fiarse de nadie. Especialmente de Alistair.

Por otro lado, estaban en un callejón sin salida y tal vez necesitasen su ayuda.

—Conozco una forma de encontrar esa pista —añadió el hombre.

Dan movió la cabeza.

—Es imposible.

Alistair sonrió.

—Soy un Ekat. Es posible.

Alistair marcó un sendero entre los juncos con un palo. El barro empapaba las perneras de su pantalón color crema, hecho exclusivamente para él por un sastre buenísimo en Hong Kong. A veces era necesario sacrificarse para llegar a buen puerto.

Había llamado a un taxi para que los llevase al sur de la ciudad; se habían bajado en una pequeña aldea de Nubia. Llevó algunas bolsas de caramelos y bolígrafos para disuadir a los niños del pueblo que iban pidiendo *baksheesh*. Ahora estaban solos, en un camino de tierra que iba al río y en el que cada vez había más hierbas.

Tal vez el dispositivo de vigilancia no fuera su mejor idea. Debería haber llamado a la puerta y hablado con ellos como gente civilizada. Aunque no podría estar completamente seguro de que no habían hablado con Bae. Tenía que cerciorarse de que no lo habían traicionado.

Ése era el problema con todos los Cahill... nadie era capaz de confiar. Siempre con razón, por supuesto, Alistair había traicionado y había sido traicionado tantas veces que ni se acordaba.

Había querido escapar al modo Cahill de funcionar. Lo había intentado con Amy y Dan, pero en cuanto vio que tenía la oportunidad de irse y de fingir estar muerto... no se lo pensó dos veces.

A veces era necesario sacrificarse para llegar a buen puerto, se dijo a sí mismo. Aunque había una diferencia entre los pantalones y los niños.

Lo más triste era que se veía a sí mismo reflejado en ellos. Su infancia había sido sacrificada por la búsqueda de las pistas. Su tío se había encargado de ello. Había utilizado la ingenuidad de Alistair, la había explotado. Le había mentido. Había cometido atrocidades para obtener beneficios que no lo incluían a él. Ahora su tío estaba alcanzando el final de su vida y estaba aún más desesperado.

Alistair también estaba desesperado en esos momentos. Desesperado por ganar, porque las treinta y nueve pistas no podían caer en manos de Bae Oh, aunque él también fuese un Ekat.

¿Qué les pasaría a Amy y a Dan? ¿Cómo les influiría esa búsqueda a ellos? ¿Qué les había legado Grace? «Debería haberlos protegido más», pensó Alistair en un arrebato de compasión. ¿O es que las pistas la habían corrompido a ella también?

¿Era él el encargado de protegerlos?

En ese caso, estaban en un buen lío. Él iba a hacerlo lo mejor que pudiese, pero no era ningún héroe.

En la cara tensa de Dan aún podía ver que el muchacho no se fiaba de él. Alistair sintió que algo extraño le llegaba al corazón. «Cariño», un sentimiento que él había abandonado varios años atrás cuando decidió concentrarse en la búsqueda de las pistas.

Se abrieron paso entre la maleza y de repente se encontraron en el río. Alistair tiró su palo y empujó los juncos a un lado con sus manos.

—Contemplad —dijo amablemente—, el sumergible Ekat.

Dan y Amy se asomaron entre los juncos y vieron una pequeña embarcación con forma de burbuja y apoyada en dos patas que acababan en lo que parecían dos enormes pies de pato. La burbuja estaba hecha de plástico teñido de color verde y al final había una pequeña hélice.

—¿Me estás tomando el pelo? —preguntó Dan—. ¿Lo compraste en la teletienda?

—Lo diseñé yo mismo —anunció Alistair dándole unas palmaditas.

Amy parecía nerviosa.

—¿Hay alguna trampilla de escape?

—No necesitamos ninguna trampilla de escape, es un diseño intachable. ¿Tenéis el mapa?

Amy asintió y señaló su riñonera.

—Ésta es la única manera —dijo Alistair—; File está justo ahí, esperándonos. —Señaló la verde agua—. No falta mucho tiempo para que se ponga el sol.

—¿Dan? —preguntó Amy.

El joven miró al agua. Alistair notó que estaba analizando sus posibilidades y que después las desechó. Estaba dispuesto a hacerlo.

¿Sería éste un buen trato o estarían arriesgándose demasiado?

De cualquier forma, el corazón de Alistair dio un brinco al ver al muchacho asentir.

—Encontremos esa pista.

CAPÍTULO 22

El sumergible se introdujo en el agua y ésta los rodeó. Se deslizaron hasta el fondo guiados por un sistema de navegación de última generación (o eso les aseguró Alistair). Continuaron su camino en el pequeño espacio, mirando fijamente al verde, esperando a que apareciese la isla. A medida que la embarcación se hundía, el agua se iba volviendo más turbia, oscura y espesa por el limo.

—Espero que la encontremos pronto —dijo Alistair—. No queremos quedarnos sin oxígeno.

—¿Quedarnos sin oxígeno? —preguntó Dan—. ¿No habías dicho que era perfecto?

—Bueno, sí, el diseño lo es. Pero no necesariamente el sistema de circulación del aire. No tuve tiempo de perfeccionarlo completamente. —Alistair agitó los controles para mantener el curso de la embarcación.

—¡Gracias por la información!

—Está bien, Dan. No te alborotes, que eso consume más oxígeno.

—Intentaremos no respirar —refunfuñó Amy.

—No esperaba unas corrientes tan fuertes —añadió Alistair preocupado.

—Bueno, eso no parecen buenas noticias —protestó Dan.

De repente, una corriente golpeó al sumergible y éste empezó a girar sobre sí mismo.

—Vaya —dijo Alistair, que empezaba a tener dificultades para controlar la embarcación—. Antes de que construyesen la presa aquí había muchos rápidos, e incluso cascadas; parece que... aún están aquí, sólo que por debajo de la superficie.

—¡Sigue de frente! —exclamó Dan—. ¡Ya la veo!

—¡Ahí! —gritó el hombre—. ¿Veis la elevación? ¿Y la pared? ¡Ahí es donde estaba el templo de Isis! ¿Reconocéis algo de lo que visteis en el mapa de Grace?

Amy cogió la linterna y alumbró el papel por debajo, para poder ver el dibujo de Churchill y las flechas de Grace.

—¿Ves los ángulos del muro? Hay tres piedras grandes y una de ellas está partida por la mitad.

—¿Puedes acercarte algo más? —preguntó Dan a su tío.

La nave dio bandazos al aproximarse.

—Es complicado... manejarla... así... —explicó Alistair, que tenía dificultades para sujetar el timón. De repente, la embarcación salió despedida hacia adelante, chocando contra el muro al ser empujada por una corriente inesperada. Amy suspiró alarmada.

—Está bien, no hay ninguna fuga —anunció Alistair, comprobando las luces de navegación—. Una de ellas ha empezado a parpadear en un color amarillo, o eso creo.

—¡Hay algo grabado en la piedra! —gritó Dan repentinamente—. ¡Acercaos!

Miraron fijamente a través del agua densa y sombría mientras las turbulencias los sacudían. Entonces el sumergible empezó a rodar hacia adelante como una pelota, haciendo caer a Amy sobre uno de los lados. Su cara, que se golpeó contra la burbuja, cayó justo contra el antiguo muro. En ese momento distinguió otras dos letras:

K. C.

—¡Katherine Cahill! —gritó la muchacha.

—Creo que los siguientes símbolos son números —opinó Dan—. ¡Acercaos!

—¡Ya los veo! —exclamó Amy.

Alistair acercó el sumergible un poco más. Algunas hojas ondeaban delante de ellos, empujadas por la corriente, así que tuvieron que esperar hasta que se despejó la vista. La luz iluminó la pared.

1/2 gm M

—¡Medio gramo! —dijo el muchacho.

—Pero no entiendo lo de la M mayúscula —añadió Amy.

—Ya, yo tampoco lo veo claro —respondió Dan mirando fijamente el muro.

Había un corte afilado en la roca después de la M mayúscula.

—Parece que la M grande está tapando otra letra —anunció Amy—. Parece que antes había una palabra aquí, ¡pero ahora no podemos leerla!

—Probablemente sucediera cuando trasladaron el templo —supuso Dan.

La cara de Alistair brillaba del sudor.

—No —dijo él en voz baja—. La M es de Madrigal. Esto lo han hecho ellos.

Como si estuviese siendo empujado por una mano oculta,

el sumergible comenzó a mecerse de un lado a otro de forma preocupante. Amy y Dan se agarraron a los bordes de sus asientos y Alistair forcejeó tratando de mantener el control. De repente, una luz roja empezó a parpadear en la consola.

—Está entrando agua —informó Alistair—. Debe de haber una fuga. Si el sumergible se vuelve demasiado pesado...

—¿Qué? —preguntó Amy desesperada.

—No podremos emerger.

Alistair tiró de los controles.

—Parece que el agua ha alcanzado el sistema eléctrico. ¡He perdido el timón!

La corriente levantó el sumergible como si se tratase de un pequeño tronco y lo arrojó contra el muro.

—¡Haz algo! —gritó Dan.

—¡Eso estoy intentando!

Aterrorizada, Amy estaba como clavada a su asiento. En el último momento, la corriente empujó la embarcación y ésta salió despedida como una peonza.

—¿Qué vamos a hacer? —preguntó la muchacha tratando de ocultar el pánico que sentía. Se quedarían atrapados bajo las aguas del lago y nadie sabía dónde estaban...

Era como si la malévola fuerza de los Madrigal los estuviese manipulando desde lejos y los estuviera dirigiendo hacia una muerte segura.

Alistair leyó los indicadores. Su tez palideció.

—¡Nos estamos hundiendo!

Amy se agarró con fuerza a los brazos de su asiento. Lentamente, el sumergible iba acercándose al fondo, hasta que por fin, chocó contra la arena y se inclinó hacia un lado. Hubo un silencio.

¿Era así como iba a terminar todo? ¿Con este terrible silencio?

—¿Cuánto aire nos queda? —preguntó Amy.

Alistair miró el indicador.

—Es difícil decirlo.

Lo miró seriamente.

—Dímelo.

El anciano tragó saliva.

—Unos quince minutos, tal vez.

Hubo otro largo silencio. Entonces Dan movió la cabeza.

—No —dijo firmemente—, ni de broma. No me voy a rendir. Vamos a salir de aquí.

Alistair pulsó varios botones.

—Lo siento... no hay ningún tipo de corriente eléctrica. No hay nada que podamos hacer.

—Mira hacia arriba —sugirió Dan—. ¿Veis dónde toca el fondo la corriente? Se puede ver perfectamente. Se mueve muy rápido. Si pudiésemos entrar en ella...

Amy vio un rizo en el agua, un brillo verde, como si fuese un canal que atravesaba la oscuridad.

—Ya lo veo —dijo ella—. Pero ¿cómo llegamos hasta allí?

—Caminando —respondió Dan mirando a su hermana—. ¿Recuerdas cuando gané aquella carrera en la feria?

—¡La carrera de burbujas! —exclamó Amy—. ¡Intentémoslo!

Alistair los miraba confundido mientras los dos hermanos lanzaban su peso contra la parte frontal de la burbuja de la nave, que comenzaba a rodar lentamente. Dieron otro paso y siguieron rodando, otros cinco centímetros.

—¡Ya lo entiendo! —gritó Alistair, levantándose de un salto y uniéndose a ellos.

Cada centímetro era desesperante, pero aun así, entre resbalones y tropezones, poco a poco se iban aproximando a la corriente.

—Sólo... un par... de metros... más —dijo Dan con la cara llena de sudor.

Presionando con todas sus fuerzas, lograron atravesar la pronunciada pendiente, alcanzando así la corriente y saliendo disparados gracias a ella.

Ahora estaban atrapados en un torbellino que los arrastraba a toda velocidad haciéndolos saltar y chocar contra las paredes de la burbuja.

—¡Genial! —exclamó Dan en medio de la carrera.

Se sujetaron con fuerza mientras la embarcación giraba y rebotaba completamente a merced de los veloces movimientos del agua. Amy se golpeó la cabeza contra el techo. Alistair se aferró a su asiento.

—¡Nos está llevando hacia la superficie! —gritó Dan.

Podían ver el fondo del lago alejándose debajo de ellos. Entonces, de repente, rebotaron contra el suelo y cayeron sobre la superficie del río. Tenían los zapatos empapados, pero aún seguían a flote.

Alistair abrió la trampilla.

—Tengo un par de remos —dijo tímidamente.

—Perfecto —respondió Dan, con la embarcación balaceándose sobre el agua—. Una burbuja verde navegando a remo por el Nilo, seguro que esto no le llama la atención a nadie.

La suerte es como los dulces de Halloween, pensó Dan. Primero te das un festín en la Vía Láctea y antes de que te des cuenta, estás rascando el fondo de la calabaza de plástico y lo único que te queda es un caramelo solitario lleno de pelusas.

Después, cuando lo muerdes, te rompe los dientes.

Las sombras se alargaban en los jardines del hotel Old Cataract mientras se despedían de Alistair. Las expresiones de sus caras mostraban sentimientos de derrota. Habían estado muy cerca de la muerte y aun así no habían encontrado la pista. Se había perdido para siempre, pues los Madrigal se habían hecho con ella.

Alistair hizo una reverencia.

—Os pido disculpas porque, por mi culpa, casi nos ahogamos —dijo—. Grace estaría furiosa conmigo. Puedo oír su voz diciendo: «Alistair, una cosa son los riesgos calculados, pero otra muy distinta es confiarse demasiado».

—¿Qué vas a hacer ahora? —preguntó Dan.

—Primero, volver a casa, a mi biblioteca —respondió el anciano.

—Cuando te encuentras en un callejón sin salida, a veces la investigación puede ser la respuesta.

Amy también se sentía así, pero en su caso, no sabía por dónde empezar a buscar. Había fallado. Sólo sabía que estaba demasiado cansada como para dar otro paso.

—Mañana volaré hasta El Cairo, donde me espera otro avión para ir a Seúl —añadió—. Os daré mi nuevo número de teléfono. Memorizadlo, por favor, no lo apuntéis.

Les entregó un papel, Dan echó un vistazo y después lo rompió en pedazos.

—¿Estás seguro de que lo has memorizado?

Dan le lanzó una mirada que decía: «¿Me estás tomando el pelo?».

Alistair se rió tontamente.

—Dejadme que os diga algo: vosotros dos tenéis talentos únicos. Al principio, pensé que todos os sacaban ventaja, pero qué equivocado estaba. Si necesitáis alojaros en El Cairo, usad mi tarjeta en el hotel Excelsior. Tengo entendido que mi tío ha regresado a Seúl y allí estaréis seguros durante una noche o dos.

—¿Y qué pasa con los otros Ekat?

—Oh, por eso no os preocupéis. Todo el mundo está aburrido de que Bae les hable una y otra vez de su genial idea de juntarlo todo, y de lo estúpidos que fueron ellos por no darse cuenta. Podría decirse que lo están boicoteando. Ahora los Ekat prefieren el Triángulo de las Bermudas, ¡allí tenemos otra fortaleza!

Dan tragó saliva. Le habría encantado explorar todo eso en el Triángulo de las Bermudas, pero Amy tenía esa mirada en la cara, como si estuviese planificando el siguiente paso. Dejando las cosas interesantes en el camino, como siempre.

Amy asintió.

—Buena idea —respondió—, necesitamos un lugar para planificar nuestro siguiente movimiento.

—He recibido noticias de que los Holt se encuentran en algún lugar cerca de San Petersburgo —añadió Alistair—. También es una opción, aunque las posibilidades de que los raritos Holt estén haciendo algo inteligente son realmente bajas.

—Gracias por el consejo —respondió Dan—. Creo que, de momento, nos quedaremos por aquí.

—Seguramente sea lo más sensato —añadió el anciano suspirando—. Las posibilidades de encontrar una pista intacta son... en realidad es un sueño, ¿no? Los Cahill siempre hacen algún estropicio... Ahora sabemos que se trata de medio gramo de... algo que aún tenemos que descubrir. —Hizo un ligero gesto de despedida—. Hasta más ver.

Amy y Dan caminaron lentamente de vuelta a la habitación del hotel, estaban demasiado deprimidos como para hablar.

—No sé que más podemos hacer —dijo Amy finalmente—. ¡Casi nos matamos ahí abajo! ¿Por qué nos habrá indicado ella que fuésemos hasta allí?

—Ella no sabía que los Madrigal habían cortado la piedra —respondió su hermano.

—Aun así —continuó Amy—, ¿cómo pudo pensar que seríamos capaces de descender a esas profundidades?

Dan sujetó a Amy por el brazo fuertemente.

—Ahora que lo pienso. Tal vez no lo hiciera. ¿Recuerdas que me dijiste que Grace había intentado hacerse con el cuadro de nuevo? Tal vez fuese porque no quería que lo encontrásemos. Debe de ser que ya no sirve, ya que ella lo pintó antes de que se construyese la segunda presa.

—Puede que tengas razón —dijo Amy abriendo la puerta de la habitación—. Quizá ésa sea la razón por la que no recuerdo ninguna nota en el libro relacionada con Asuán, porque no había ninguna. Grace nos dijo que siguiésemos sus pasos, pero fuimos nosotros los que descubrimos esta pista de Isis. Entonces Hilary nos dijo que viniésemos, seguramente porque tenía planeado robarnos la Sakhet.

Dan sacó la postal de Grace y la leyó de nuevo.

—Tiene que haber algo que no estamos viendo.

Amy echó un vistazo por encima del hombro de su hermano y entonces señaló con el dedo una frase.

—Mira esto, Dan.

«Si hubiese sido la grandiosa abuela
que os merecíais, o al menos la mitad...»

—La palabra «mitad» está subrayada y la *g* en «grandiosa» es más oscura que el resto de las letras de la palabra.

—Medio gramo —dijo Dan quejándose—, ha estado ahí todo este tiempo. Ni siquiera era necesario venir hasta aquí. Pero aún nos queda la pregunta más importante: ¿Medio gramo de qué?

—¡Qué frustrante! Estamos sólo medio paso detrás de ella.

—Como siempre —dijo Dan frunciendo el ceño—. Si no era necesario venir a Asuán, entonces yo propongo que volvamos a El Cairo.

—Vamos a hacer el equipaje —respondió Amy.

Empezaron a meter sus cosas en las maletas y mochilas. Dan sujetó la base pintada de dorado de la Sakhet.

—¿La guardamos o la tiramos?

—La tiramos —respondió Amy—. No vale para nada.

Dan la tiró a la papelera y ésta, al caer, rebotó y se dio la vuelta.

—Eh, Amy, ven aquí.

Amy suspiró y se acercó a él.

—Ya veo, hay basura en la papelera. Me he quedado de piedra.

—Mira la etiqueta. Pone «Tesoros de Egipto». Esto viene de una tienda de El Cairo. Aquí pone el nombre y la dirección, está en la ciudadela, sea lo que sea.

—¿Y qué? Grace lo habrá comprado allí.

—¿Por qué habrá comprado Grace una base para la Sakhet? Hilary dijo que era para disfrazarla, pero ha estado en una caja fuerte en un banco durante... ¿cuánto? ¿Unos treinta años?

—¡El mensaje de Grace! —exclamó Amy—. «Acabar con lo básico», dice. ¿Será esto lo que quiere decir?

—No tenemos ningún otro rastro que seguir —respondió Dan—. Tenemos que seguir sus pasos... cuando lleguemos a El Cairo.

CAPÍTULO 23

—El principal uso de la ciudadela era el de la defensa —dijo Amy, leyendo en voz alta su nueva guía de viaje—. Ahora se encuentran en ella muchos lugares sagrados. Ofrece algunas de las mejores vistas de la ciudad.

—Tiene también un montón de calles sin señalizar —protestó Dan mirando a su alrededor—. ¿Cómo vamos a encontrar esa tienda?

—Con mucha dificultad, obviamente —respondió Amy mientras consultaba en mapa.

Caminaron a través de las serpenteantes calles y callejones de la ciudadela durante veinte minutos. Finalmente, llegaron a una travesía que no salía en el mapa. La mayor parte de las señales estaban en árabe y las direcciones no estaban numeradas.

—Con lo difícil que está siendo localizarlo, me pregunto cómo se las habrá arreglado Grace para encontrarlo —añadió Dan.

Amy se detuvo en una puerta estrecha que parecía exactamente igual a las demás. La ventana estaba oscura y daba la impresión de que el local estaba cerrado.

—Es aquí.

—¿Estás segura?

—Lo estoy. Mira.

La memoria fotográfica de Dan entró en acción.

—Es igual que la postal de Grace. Las palabras «tesoros», «Egipto» y «bienvenidos» estaban todas en línea vertical.

Amy apretó con fuerza el brazo de su hermano.

—Ella nos ha traído hasta aquí, Dan. ¡Es aquí!

Amy empujó la puerta y sonó una campana. La tienda era larga y estrecha, los estantes estaban llenos de piezas de cerámica y de metal. Las alfombras cubrían el suelo. Al fondo de todo, Amy pudo ver a un hombre que leía un libro sentado al lado del mostrador.

—Bienvenidos. Podéis echar un vistazo si queréis —dijo el dependiente, que continuó leyendo su libro.

Eso sí que era extraño. En todas las tiendas de Egipto donde había estado siempre la habían atosigado para que comprase algo, presionándola, ofreciéndole gangas y tazas de té.

—Discúlpeme —dijo Dan caminando hacia él—. ¿Ha vendido usted este objeto? —añadió colocando la base sobre el mostrador.

El hombre lo cogió. Era un joven egipcio bastante guapo

que llevaba una camiseta blanca como la nieve y una bufanda a rayas enroscada al cuello a pesar del calor. Echó un vistazo rápido a la base.

—Es difícil decirlo —dijo él—. Parece una de las piezas que usamos para exponer los *souvenirs*. Puedo enseñarles algunas más de este tipo.

—No necesitamos otra —explicó Amy—, sólo queremos saber si recuerda ésta.

—Lo siento mucho —se disculpó el muchacho, mirándola a la cara por primera vez; probablemente se diese cuenta de lo frustrada que estaba la niña—. No estoy seguro de lo que me está preguntando.

—¿Recuerda haber conocido a una mujer llamada Grace Cahill?

El hombre sacudió la cabeza.

—No conozco a nadie con ese nombre.

Amy y Dan intercambiaron miradas. Era ahora o nunca. Si Grace los había llevado hasta allí, sus razones tendría. Dan sacó la Sakhet de su mochila. Amy se la había dado para que la llevase él.

—¿Ha visto esto alguna vez?

Dan pudo ver en los ojos del muchacho que había reconocido la figura, aunque él movió la cabeza rápidamente y dijo:

—No.

—Somos los nietos de Grace Cahill —anunció Dan—. Creemos que ella nos ha enviado aquí.

Los miró durante un largo rato. Su mirada, que transmitía honestidad, los estaba examinando. Entonces se inclinó hacia Amy.

—Su collar es precioso, señorita.

—Gracias.

—Hace treinta años se rompió el cierre. ¿Me permite verlo? —Cogió el collar con sus manos y pasó delicadamente el dedo por el broche—. Mi padre lo reparó. Me alegra ver que aún está intacto.

—Entonces sí que la conoce.

—Perdonen mis dudas, pero he de tener cuidado. Me llamo Sami Kamel; por favor, llámenme Sami.

—Yo soy Amy y él es Dan.

—Así que al final han venido. —Se levantó de su silla y se dirigió a la puerta, donde colocó la señal de «cerrado»—. Acompáñenme por favor —les pidió con una reverencia. Después, abrió una cortina y desapareció tras ella.

Amy y Dan lo siguieron a una pequeña y acogedora habitación. Les indicó que se sentasen y después les sirvió té de menta en unas frágiles tazas de porcelana.

—Su abuela conocía a mi padre —dijo él—, y al padre de mi padre. El padre de mi padre era un famoso... cómo decirlo... bandido.

Amy y Dan se rieron un poco, sobresaltados.

—Pero era un buen hombre —continuó Sami con una sonrisa en los labios—. Él falsificaba antigüedades y le hizo un favor a su abuela a finales de los años cuarenta, pero nunca nos contó en qué consistía. Cuando mi padre continuó con el negocio en el año 1952, él convenció a mi abuelo para retirar... la parte ilegal de los servicios ofrecidos. Vendemos algunos productos buenos, otros de calidad media y otros muy baratos, pero nuestros clientes siempre saben qué están comprando. Su abuela venía a la tienda cuando visitaba Egipto. Era muy buena amiga de mi abuelo y de mi padre.

Amy bebió un trago de té.

—Dijo algo como «al final han venido».

—Su abuela le dijo a mi padre que ustedes dos vendrían. Él ha estado guardándole algo a ella durante una buena temporada. Lo compró en su último viaje a El Cairo, y ahora yo se lo entregaré.

Dio media vuelta con su silla giratoria y se acercó a la estantería que había detrás de él. Levantó una palanca que estaba oculta en el marco de madera y los libros giraron sobre sí mismos. Sacó un viejo juego de mesa de madera y lo colocó encima de la mesa.

—Es esto.

—¿Nos dejó un tablero de damas? —preguntó Dan.

Sami sonrió.

—No son damas. Es un *senet*. Es un antiguo juego egipcio. Se han encontrado varios tableros en diferentes tumbas, pero las reglas del juego no han sobrevivido. Éste no es demasiado viejo, pero es muy bonito. Madreperla incrustada en madera tallada. Creemos que las piezas de este tablero eran de gran valor, quizá de oro, porque originalmente había una llave para desbloquear este cajón, donde se guardaban las piezas.

—¿Un cajón? —Amy quiso coger el tablero, pero Sami levantó una mano, deteniéndola.

—Espere. Su abuela pidió a mi padre que le pusiera otra cerradura. ¿Ven las letras? Él usó lo que los chinos llamarían un cierre alfabético. Sólo puede abrirse con una contraseña. Tienen que colocar las letras en su lugar.

—No tenemos ninguna contraseña —preguntó Dan—. Podríamos intentar algo...

—Sólo hay una oportunidad —puntualizó Sami—. Es la prueba de que ustedes son quienes dicen ser. Si la contraseña no es la correcta, el cajón no se abrirá. Podrían destrozar el tablero, pero hay dos problemas. Uno: eso destruiría lo que hay en su interior, y dos: no les permitiré hacerlo. Les doy mi palabra.

Sami les sonrió, pero ellos pudieron ver su determinación oculta en la sonrisa.

Amy y Dan, preocupados, se miraron.

—Mi padre dijo que Grace tenía la certeza de que ustedes sabrían la palabra.

—¿Dijo ella... alguna cosa que pudiera darnos una pista? —preguntó Amy.

—Lo siento, sólo dijo que ustedes sabrían cuál sería la contraseña.

Se alejó un poco de ellos para dejarles algo de intimidad. Amy se presionó la frente con los dedos.

—Bueno, pues yo no la sé —murmuró ella—. Podrían ser tantas cosas...

—¿Qué suele usar la gente en sus contraseñas? —preguntó Dan—. ¿Su segundo nombre? ¿El lugar en el que nacieron? ¿Será el color favorito de Grace? Era el verde. ¿O su helado favorito?

—El de pistacho.

—Su comida favorita...

—El *sushi*. ¿Y su lugar favorito?

—Sconset en agosto, París en Navidad, Nueva York en otoño y Boston en cualquier época del año —respondió Dan.

Los dos conocían los gustos de Grace a la perfección. Para ellos eso eran más que palabras, pensó Amy de repente. Eran recuerdos.

Amy se dio cuenta de algo entonces. Todo ese tiempo, recuerdo tras recuerdo habían ido llenando el hueco que Grace había dejado. Cuando se sentaron en la escalinata del museo a comer galletas; cuando hacían tartas juntos; cuando, sentados al pie de la chimenea, reían todos leyendo cuentos en la biblioteca; cuando se bañaban en el frío océano; cuando corrían por las calles de Boston bajo la lluvia.

—Estaba equivocada —dijo ella, acercándose a Dan—. Estaba muy equivocada. No confié en mis recuerdos. Grace sí que nos preparó para todo esto, pero no lo hizo a través de viajes o excursiones, lo hizo a través del cariño. Ella sabía lo que nos esperaba y sabía que no tendríamos escapatoria. Hay una razón por la que quería que participásemos en esta competición. Aún no la conocemos, pero tenemos que confiar en ella. Quiero decir, confiar en serio y dejar de cuestionarla. Tenemos que dejar que forme parte de nuestras decisiones.

—Es difícil no estar enfadado con ella cuando la echo tanto de menos —respondió Dan.

—No podemos enfadarnos porque se haya ido. Ya sé que estamos furiosos, pero no con ella.

De repente, Dan sonrió. Algo en su interior había cambiado y lo mismo le sucedía a su hermana, algo se había ajustado como una pieza de rompecabezas. Amy se sintió mucho mejor.

Dan asintió.

—Está bien, volvamos al problema. Ella sabía que todo esto iba a pasar, que nosotros íbamos a atravesar todos los momentos que hemos vivido. Así que no podía ser un intento, sino que teníamos que estar completamente seguros.

Dan caminó por la habitación, intentando pensar. Un enorme retrato colgaba sobre un escritorio y sus ojos parecían seguirlo. Era el cuadro de un anciano con una larga barba blanca y oscuros ojos penetrantes.

—¿Es un amigo suyo? —le preguntó a Sami.

—La verdad es que no. Es Salah ad-Din, un famoso comandante musulmán que mandó construir la ciudadela en el año 1176. Seguramente ustedes lo llamen...

Amy y Dan dijeron la palabra al unísono tras la cual se oyó un suspiro de alivio.

—*Saladin*.

—Exacto.

Amy agarró el tablero, miró a Dan y éste asintió.

La muchacha movió las letras del cierre una a una.

Se quedaron boquiabiertos al ver que la tapa se abría.

—¿Ven? —sonrió Sami—. Conocen a su abuela mucho mejor de lo que piensan.

Amy miró a Dan.

—Sí —respondió ella dulcemente—, la verdad es que sí.

Sami hizo una simple reverencia.

—Les dejaré examinar lo que han encontrado.

Esperaron hasta que la cortina estuvo cerrada. Amy deslizó el cajón y lo abrió. Sacó un pequeño dibujo hecho sobre una pieza de lino.

—Parece una ilustración botánica —dijo ella.

—Hay algo escrito a lápiz —observó Dan.

Mat 2.11

—Parece que es el precio de la pieza —opinó Amy.

—Todo lo que tenemos que hacer —añadió el muchacho— es descubrir a qué planta pertenece esta hoja y así tendremos la pista.

—Eso no debería ser demasiado complicado —respondió su hermana.

CAPÍTULO 24

—Todo por tu culpa —le dijo Dan a Amy de nuevo en el hotel Excelsior—. ¿O es que todavía no sabes que nunca jamás se debe decir que algo va a ser fácil?

Amy dejó caer la cabeza sobre las manos.

—Lo sé.

—Prueba con el perifollo —sugirió Nella, agachándose para darle al gato otro poco de humus. Habían encargado comida al servicio de habitaciones, pero sólo para *Saladin*, para agradecerle el haber sido una contraseña tan buena.

Dan estaba encorvado sobre su portátil. Había encontrado un diccionario online de ilustraciones botánicas, pero encontrar una hoja de una especie igual a la que tenían parecía ser bastante más complicado de lo que creían. Tampoco ayudaba el hecho de que Nella les sugiriese hierbas al azar, como si estuviesen cocinando un estofado.

—¿Cuántas entradas hay? —le preguntó Amy.

—Puf, ni idea, miles de ellas.

—Y desde que estamos aquí, ¿cuántas entradas has consultado?

Dan echó un vistazo a la lista que había estado haciendo.

—Treinta y siete. ¡No! Treinta y ocho, casi me olvido del perifollo.

Amy gimió protestando.

—Llevamos aquí veinte minutos. Esto podría llevarnos toda la noche.

—Y todo el día de mañana —añadió Nella—. ¡Prueba con tamarindo!

Dan se separó del ordenador.

—No —respondió decepcionado.

Amy se levantó de un salto y trató de animar a su hermano.

—Es buena idea, de todas formas —dijo ella—. Es decir, estamos en Egipto, así que deberíamos estar buscando plantas egipcias. No creo que Katherine haya hecho que sus descendientes vengan hasta aquí sólo en busca de perifollo, ¿no os parece?

—Prueba con la acacia —sugirió Nella.

—O con el humus, o *baba ghanoush*, o menta, o palmera. —Dan giró en su silla con los brazos en el aire—. Creo que tengo el cerebro sobrecargado.

—Este lugar puede provocarte eso —admitió la niñera—. Hemos visto tantas cosas en tan pocos días... Templos, tumbas y antiguas ciudades. Impresionantes puestas de sol y fantásticas obras de arte...

—Por supuesto que sí, pero te estás olvidando de lo mejor —opinó Dan—; cocodrilos, maldiciones de faraones, ganchos licuadores de cerebros, vísceras en vasos canopos... ¿qué puede no gustarte?

—A mí me gustó ver esas viejas fotos de Grace —replicó Amy—. ¿Recordáis aquella foto en la que sale haciendo el tonto en el templo de Hatshepsut? A veces me olvido de lo divertida que era.

—Galletas con chocolate —añadió Dan—. ¿Te acuerdas? Ella solía decir: «¡Prestad atención! ¡Que aquí todo cuenta!».

Dan apreciaba las pequeñas cosas, igual que hacía Grace, pensó Amy. Ella recordó el día que llegaron a aquella suite por primera vez y cómo su hermano había corrido por toda la habitación, gritando los nombres de los objetos lleno de alegría, como nunca lo había visto antes. «¡Almohadas! ¡Una Biblia! ¡Albornoces! ¡Champú!»

—La gente dice que me parezco a Grace —dijo Amy—. Pero tú eres idéntico a ella.

Dan se encogió de hombros y volvió a concentrarse en su ordenador. Amy vio que las puntas de sus orejas se estaban poniendo coloradas, entonces se dio cuenta de que a su hermano le había gustado el cumplido. Ella podría haber dicho: «Lo siento», también podría haber dicho: «Tenías razón, yo quería guardar para mí todos los recuerdos de Grace», pero, de algún modo, supo que ya había dicho lo suficiente.

—Todo cuenta —murmuró Amy. Echó un vistazo a la imagen de la postal de Grace; en ella se veía a los Reyes Magos de camino al portal de Belén, para llevarle los regalos al niño Jesús, que estaba más gordo y regio que cualquier recién nacido que Amy hubiera visto jamás.

De repente, las palabras e imágenes se entremezclaron en su cabeza.

«Los Reyes Magos, Hatshepsut, Punt.»

«Incluso durante el Imperio Nuevo, una reina no podía dejar de hacer compras navideñas.»

Como si estuviera en trance, Amy abrió el cajón de la mesilla de noche y sacó la Biblia que Dan había encontrado. Pasó rápidamente las páginas hasta llegar al evangelio de Mateo, capítulo dos, versículo once.

—¿Dan? —preguntó con voz temblorosa—. Busca la mirra.

La muchacha se aproximó hacia él, al igual que Nella, que se acercó corriendo.

Dan escribió la palabra en el cuadro de búsqueda. La hoja de la mirra apareció en la pantalla.

—¡Eso es! —exclamó Dan—. Ahora explícame cómo lo has hecho.

—«No os olvidéis del arte.» Nosotros pensamos que se refería a su cuadro, pero después nos dimos cuenta de que ella no había dejado eso como pista. El problema es que después no nos paramos a pensar qué querría ella decir entonces. —Amy levantó la postal—. Nos estaba hablando de esta misma imagen.

—Sigo sin entenderlo.

—Todo está relacionado con Hatshepsut.

—¿Hatshepsut? —preguntó Nella pasmada—. Pero si ella vivió cientos de años antes de que existiese la Navidad.

—Hatshepsut fue a las tierras de Punt de viaje y volvió con árboles de mirra. Grace posó en su foto justo delante de ese grabado. Y después en su guía de viaje hizo aquella broma sobre la reina que tenía que hacer compras navideñas. Todo eso nos guía hasta aquí —explicó la muchacha con la postal en las manos—. Los Reyes Magos, ellos trajeron...

—Regalos al niño Jesús —añadió la niñera.

Amy sujetó la Biblia.

—Mateo, capítulo dos, versículo once. «Mat 2.11» es una referencia, no es el precio de la pieza de lino. Escuchad. —Amy leyó el versículo en voz alta—: «Entraron en la casa, vieron al niño con su madre, María, y echándose por tierra le rindieron homenaje; abrieron sus arquetas y le ofrecieron como dones oro, incienso y mirra».

Dan asintió.

—Y Grace cometió un error al escribir «resuena» y eso que ella nunca cometía errores al redactar... no sé cómo no nos dimos cuenta. Jugamos al ahorcado con ella todos los fines de semana durante años. ¡Ella escribió «resina» porque la mirra es una resina! Medio gramo de resina, ¡ésa es la pista!

Los ojos de Amy brillaban.

—Y Grace ha estado con nosotros todo este tiempo. No nos ha abandonado, Dan. Ella estará ahí para ayudarnos cuando nos haga falta y lo hará como siempre lo ha hecho: cuando menos lo esperemos. No se ha ido, aún está aquí con nosotros.

Dan se alejó de su hermana, pero Amy sabía que era porque tenía los ojos llenos de lágrimas, igual que ella. Tuvo la sensación de que Grace le ponía la mano sobre el hombro y se lo apretaba. Diciéndole: «Buen trabajo, Amy».

Su abuela volvía a estar entre ellos y nunca más volverían a perderla.

De repente, oyeron un ruido en la puerta de al lado. Sonó como un golpe sordo.

—Eso ha venido de la fortaleza —dijo Dan en voz baja.

—¿Vamos a ver? —preguntó Amy.

—Tal vez sea Alistair —opinó Nella.

Caminaron todos hasta la puerta de conexión y colocaron sus orejas contra ésta.

—No oigo nada —susurró Amy.

—Será mejor que lo comprobemos —sugirió Dan.

El muchacho sacó el paraguas del armario, desenroscó el mango y lo introdujo en la cerradura. El pomo giró y abrieron la puerta un par de centímetros para ver por la rendija.

—¿Qué ves? —susurró Amy.

—Cosas maravillosas... en el suelo.

Abrió la puerta por completo. La fortaleza había sido allanada. Las vitrinas estaban destrozadas, los cuadros habían sido aplastados contra el suelo y los paneles arrancados. Entraron con cuidado, tratando de esquivar los pedazos de cristal.

Las Sakhet habían desaparecido, los pedestales estaban vacíos.

—¿Quién ha podido hacer esto? —susurró Amy.

Nella se agachó para coger algo del suelo. Se trataba de un trocito de tela negra, que probablemente se quedó enganchado en uno de los cristales salientes de las vitrinas destruidas.

Amy se fijó en el diseño tejido en la tela. Se dio cuenta de que el estampado era una letra M que se repetía una y otra vez.

El miedo le encogió el corazón.

—Los Madrigal —susurró la joven.

SI QUIERES DESCUBRIR EL CÓDIGO SECRETO PARA DESCIFRAR EL MENSAJE QUE SE ESCONDE ENTRE LAS PÁGINAS DEL LIBRO...

www.the39clues.es

¿Quieres ser el primero en encontrar las 39 pistas?

Entra en

www.the39clues.es

¡y participa en una emocionante aventura interactiva!

✓ Crearás tu propio personaje, con su correspondiente AVATAR.
✓ Encontrarás emocionantes MISIONES con pruebas que deberás superar para descubrir nuevas pistas.
✓ Podrás jugar solo o establecer alianzas CON TUS AMIGOS y crear equipos.
✓ Participarás en divertidos CONCURSOS que te permitirán ganar fantásticos PREMIOS.

Sólo si participas en la aventura online podrás ser el primero en descubrir el misterio de la familia Cahill.

PRUEBA DE COMPRA THE 39 CLUES Nº 4